10/23

Bromelias de
Costa Rica
Bromeliads

INBio
Instituto Nacional
de Biodiversidad

J. Francisco Morales

Consejo Editorial INBio: Rodrigo Gámez, Estrella Guier,
Maarten Kappelle, Jorge León, Cecilia Lizano, Alfio Piva,
Fabio Rojas, Álvaro Sancho, Ángel Solís, Carlos Valerio.

Director Editorial: Fabio Rojas
Editora: Diana Ávila S.
Diseño y diagramación: Rodrigo Granados J.
Ilustraciones: Anita W. Cooper
Revisor científico: Barry Hammel
Traducción al inglés: Ana Ligia Echeverría
Dibujos de la introducción: Francisco Quesada

Primera edición 1999, 1.500 ejemplares
Segunda edición 2000, 5.000 ejemplares

© Instituto Nacional de Biodiversidad (INBio)
    Hecho el depósito de ley.

Hecho en Costa Rica por la
Editorial INBio

CONTENIDO

Agradecimientos 7

INTRODUCCIÓN 9

Morfología 10
   Hojas 10
   Flores 11
   Escapo 12
   Brácteas 13
Hábitat 13
Simbiosis 15
Taxonomía 16
Como usar esta guía 18

Lista de especies incluidas en esta guía 19

DESCRIPCIÓN DE ESPECIES 23

CONTENTS

Ackhnowledgements 8

INTRODUCTION 9

    Morphology 10
        Leaves 10
        Flowers 11
        Scape 12
        Bracts 13
    Habitat 13
    Symbiosis 15
    Taxonomy 16
    How to use this Guide 18

List of species included in this Guide 19

DESCRIPTION OF SPECIES 23

Agradecimientos

El proyecto de escribir una guía de campo de la familia Bromeliaceae fue algo que me propuse hace varios años, ante la ausencia de taxónomos especialistas en esta familia en Costa Rica y la necesidad de contar con un documento de fácil lectura para identificar las especies más comunes del país. La realización de este proyecto no hubiera sido posible sin la valiosa colaboración y apoyo de varias personas.

En primera instancia, deseo expresar un agradecimiento muy especial a Anita y David Cooper. Todas las acuarelas que aparecen en esta guía fueron hechas por Anita, quien con coraje y entusiasmo envidiable nos acompañó, junto a David, en las muchas giras de campo realizadas para recolectar las diferentes especies. Como asistente de campo, Armando Soto compartió su amor por la naturaleza en nuestros viajes, donde siempre estuvo atento para obtener la planta deseada, sin importar la altura ni ubicación de la misma. Deseo agradecer también a Jason Grant, quien colaboró en mi temprana formación en Bromeliaceae, ayudándome desinteresadamente en la aclaración de los conceptos técnicos y suministrando la literatura pertinente que no estaba a mi disposición.

Asimismo, agradezco a las autoridades del Servicio Nacional de Parques Nacionales, que siempre estuvieron atentas para brindarnos su oportuna colaboración y facilitarnos el acceso a las distintas áreas de conservación que visitamos.

J. Francisco Morales

Acknowledgements

The project to prepare a field guide on the Bromeliaceae family was a goal I set myself several years ago, in light of the absence of taxonomic experts in Costa Rica regarding such family, and the need to have an easily-to read document in order to identify the most common species in the country. The completion of this project would not have been possible without the valuable collaboration and support of many people.

First of all, I wish to express a very special gratitude to Anita and David Cooper. All the paintings shown in this guide were painted by Anita Cooper, who, with courage and an enviable enthusiasm joined us, along with David, in the several field trips with the purpose of collecting different species. As a field assistant, Armando Soto shared with us his love for nature and was always ready to get the plant we wanted, without caring about its height or location. As well, I deeply appreciate the enormous contribution of Jason Grant, who collaborated in my early formation on Bromeliaceae, unselfishly helping me in the clarification of technical concepts and providing the pertinent literature.

I owe a special acknowledgment to the authorities of the Servicio de Parques Nacionales, who were always willing to provide us with their opportune cooperation and access to the different conservation areas we visited.

J. Francisco Morales

INTRODUCCIÓN

A través de los siglos, las monocotiledóneas tropicales de todo el mundo —incluyendo las palmas, orquídeas y bromelias— han estado entre las plantas ornamentales más populares. No obstante, la falta de guías de campo sobre estos grupos de plantas, que también crecen de manera silvestre en Costa Rica, ha sido un obstáculo para estimular el conocimiento y aprecio de nuestra propia riqueza natural.

Los tratamientos existentes para las Bromeliaceae de Costa Rica son meramente taxonómicos y, excepto unas cuantas ilustraciones esquemáticas, no existe una guía ilustrada que pueda ser usada fácilmente por usuarios sin conocimientos.

El propósito de esta guía es, por lo tanto, ofrecer una forma sencilla de aprender sobre algunas de las especies de Bromeliaceae de Costa Rica, utilizando al mínimo el lenguaje técnico y recurriendo sobre todo a la identificación visual a través de las hermosas acuarelas que tan generosamente nos donó la artista Anita Cooper.

Aunque se trabajó arduamente a fin de obtener ejemplares de la ma-

INTRODUCTION

Throughout centuries tropical monocotyledons from around the world —including such groups as palms, orchids and bromeliads— have been among the most popular of ornamental plants. Nevertheless, a lack of field guides for these same groups of plants that grow wild in Costa Rica, means we miss an excellent opportunity to stimulate appreciation of our own species-rich forests.

Existing research on Costa Rican Bromeliaceae is mostly floristic and, with the exception of a few schematic examples, there is no illustrated field guide that can be easily consulted by enthusiasts.

Our purpose, therefore, is to provide a simple means of learning about some of the Bromeliaceae of Costa Rica, using as little technical language as possible and relying, above all, on the visual identification through the beautiful watercolor illustrations so graciously donated to us by the artist Anita Cooper.

Although great efforts were made to obtain examples of most species and genera present in the

yoría de especies y géneros presentes en el país, ésto no fue posible por varias razones, como la escasez de poblaciones, el difícil acceso a los sitios de recolección y la falta de recursos económicos y humanos. Por estas razones, esta guía incluye 80 especies, quedando unas 120 pendientes para una futura edición.

Morfología

Para favorecer el uso de la guía por la mayor cantidad posible de personas, el lenguaje técnico ha sido reducido al mínimo. Sin embargo, se ofrece una explicación de los términos básicos utilizados, los cuales se basan en la obra *"A Bromeliad Glossary"* (1977), publicada por The Bromeliad Society, Inc. (Kerr Printing Co., Arcadia, California).

Las Bromeliaceae se caracterizan por ser plantas epífitas (que crecen sobre los árboles) o terrestres. Algunas especies pueden compartir ambos hábitos, otras sólo se encuentran en uno.

Hojas:

Las hojas están formadas por la base, que es la porción pegada al tallo, y la lámina, aunque por razones prácticas en esta guía sólo se incluye la lámina. Esto se debe a que las bases mues-

country, this was not possible for several reasons, such as the scarcity of populations, the difficult access to collection sites and the lack of economic and human resources. For these reasons, this guide describes 80 species, with some 120 species pending to be included in a future edition.

Morphology

To make this guide more accessible to all, technical language was kept to a minimum. However, an explanation of the basic terms used is provided, based on the work, *A Bromeliad Glossary* (1977), published by The Bromeliad Society, Inc. (Kerr Printing Co., Arcadia, California).

Bromeliaceae are characterized as being epiphytic (that grow on trees) or terrestrial plants. Some species can have both habits, while others only have one.

Leaves:

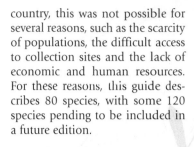

The leaves are composed of a base, which is the part attached to the stem, and the lamina. For practical reasons, only the lamina will be considered in this guide, due to the fact that

a.   b.   c.

tran diferencias notables en cuanto a color, ancho y escamas. Se pueden mencionar tres tipos básicos de hojas:

a. **Triangulares:** cuando presentan una base amplia y algo redondeada, que se reduce drásticamente y se vuelve casi linear a medida que se avanza hacia el ápice foliar.
b. **Liguladas:** cuando su forma y ancho son uniformes a lo largo de la extensión de la hoja, similar a una faja o tira.
c. **Lineales:** cuando las hojas son muy angostas, de forma lineal.

Flores:

La estructura sobre la cual están dispuestas las flores se conoce como inflorescencia y se puede clasificar en primera instancia de acuerdo a la posición de su eje:

Bráceas primarias
Primary bracts

- **Erecta:** cuando el eje principal es erecto.
- **Péndula:** cuando el eje principal cuelga o cae.

Con respecto a su estructura, tenemos las inflorescencias simples, las compuestas y las aglomeradas. En las simples, las flores emergen en forma solitaria direc-

---

bases show noteworthy differences with regards to color, width and scales. There are three basic types of leaves:

a. **Triangular:** they show a wide and somewhat rounded base, which drastically narrows down and becomes almost linear as it progresses towards the lamina tip.
b. **Ligulate:** shape and width are uniform throughout the leaf's extension, similar to a strap or band.
c. **Linear:** leaves are narrow and have a linear shape.

Flowers:

The structure on which flowers are borne is known as an inflorescence and can be classified, in first instance, according to the position of their axis:

- **Erect:** when the main axis stands up.
- **Pendulous:** when the main axis hangs down.

With regards to the structure, there are simple, compound and agglomerate inflorescences. Simple inflorescences have flowers separately directly from the main axis; when two or more clusters emerge from the same point, these are known as

tamente del eje princi-
pal; cuando dos o más
racimos nacen de un
mismo punto se cono-
cen como digitadas. Las
compuestas son aque-
llas en las cuales las flores nacen de ejes secundarios al eje principal; podemos
encontrar ejes secundarios
bien desarrollados o muy cor-
tos y poco visibles, en donde las
flores emergen en pares. Las inflorescencias aglomeradas, globosas
a subglobosas, son aquellas en las
cuales ramos densos de flores se-
mejan un globo o balón achatado.

Inflorescencia péndula
Pendulous inflorescence

digitate flowers.
Compound inflores-
cences are those in
which flowers are
borne on a secondary
axis attached to the
main one. Well-deve-
loped or very short
and hardly noticeable
secondary axis can
be found where
flowers emerged in
pairs. Agglomerate,
globose to subglobose
inflorescences are those in which
dense clusters of flowers resemble
a globe or a flattened balloon.

Escapo:

Cuando hablamos del escapo
nos referimos al eje de la inflorescencia comprendido entre la base
de la planta y la primera flor o bi-
furcación de un eje secundario.

Scape:

The inflorescence axis included between the base of the plant
and the first flower or branching of
a secondary axis is known as the
scape.

Inflorescencias / *Inflorescences*

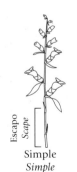

Simple
Simple

Compuesta
Compound

Compuesta pero
pareciendo simple
*Compound but
appearing simple*

Aglomerada
Agglomerate

12

Brácteas:

Las brácteas son hojas modificadas situadas en la proximidad de las flores y cuya función es protegerlas o atraer polinizadores. Existen dos tipos:

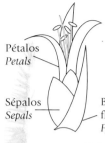

Pétalos
Petals

Sépalos
Sepals

Bráctea floral
Floral bract

- **Brácteas primarias:** cuando nacen del eje principal de la inflorescencia y se encuentran en la base de los ramos o ejes secundarios.
- **Brácteas florales:** son aquellas adyacentes a los sépalos de las flores; cuando se encuentran en un sólo plano se llaman dísticas y cuando están distribuidas en varios planos son polísticas.

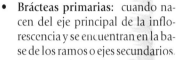

Dísticas
Distichous

Polísticas
Polystichous

Hábitat

Las bromelias no tienen preferencia por especies particulares de árboles, aunque muchas están restringidas a ciertos hábitats. Por ejemplo, *Pitcairnia halophylla* (no incluida en esta guía) es una especie endémica de Costa Rica que crece sólo en los acantilados rocosos marítimos en las costas del Pacífico Sur. Otro ejemplo es *Pitcairnia calcicola*, que sólo se encuentra creciendo sobre rocas calizas en áreas cercanas a Barra Honda y esporádica-

Bracts:

Bracts are modified leaves located in the proximity of the flowers and whose function is to protect them or attract pollinators. There are two types:

- **Primary bracts:** sprout from the main axis of the inflorescence and are located at the base of the clusters or on secondary axis.
- **Floral bracts:** those adjacent to the sepals of the flowers; distichous are those that are borne in a single plane and polystichous are those distributed in several planes.

Habitat

Bromeliads have no preference for particular species of trees, although many are restricted to particular habitats. For example, *Pitcairnia halophylla* (not included in this guide) is a species endemic to Costa Rica that only grows in steep maritime rocks on the coast of the Pacífico Sur. Another example is *Pitcairnia calcicola*, which can only be found growing on limestone rocks in

mente en la Península de Santa Elena; de hecho, la mayor población conocida de esta planta se encuentra en el Parque Nacional Barra Honda, en las áreas cercanas al mirador. *Puya dasylirioides* es una especie que crece únicamente en las sabanas naturales o turberas (terrenos de suelos muy ácidos) de la Cordillera de Talamanca.

Existen árboles en los cuales no es común observar bromelias, como el Guayabo (*Psidium guava*) y el Surá (*Terminalia oblonga*), cuyas cortezas se desprenden periódicamente. En algunas partes se pueden encontrar bromelias creciendo sobre cables del tendido eléctrico, como *Tillandsia fasciculata*, en el Tejar de Cartago.

Algunas bromelias, especialmente del género *Vriesea*, abren sus flores sólo durante la noche o el crepúsculo, como *Vriesea nephrolepis*, muy común en las montañas que rodean el Valle Central.

Generalmente las bromelias tienen escamas en forma de diminutos puntos blancos (estomas), por los cuales absorben la humedad del aire. Esto les permite vivir por períodos más o menos prolongados sin agua de lluvia, sobre todo las plantas de clima seco, donde estas escamas son abundantes.

En Costa Rica la Bromeliaceae es una familia de plantas típicas de sitios húmedos, ya sea bosques de bajura o bosques de altura. En estas áreas ecológicas se encuentran los géneros más abundantes (*Vriesea*,

areas near Barra Honda and sporadically in the Península de Santa Elena. In fact, the largest population known of this plant can be found in the Parque Nacional Barra Honda, in areas near the lookout. *Puya dasylirioides* only develops in natural savannas or peat bogs (very acidic soils) of the Cordillera de Talamanca.

There are some trees on which it is not common to observe bromeliads, such as the Guayabo (*Psidium guava*) and the Surá (*Terminalia oblonga*), since their bark tends to peel off periodically. In some parts, bromeliads can be seen growing on electrical cables, as in the case of *Tillandsia fasciculata*, in Tejar de Cartago.

The flowers of some bromeliads, especially those of *Vriesea*, only bloom at night or at dawn. *Vriesea nephrolepis* can be commonly observed in mountains that surround the Valle central.

Generally, bromeliad leaf surfaces are covered with small, flat scales attached in the center. These often elaborate scales absorb humidity from the air. This allows bromeliads to live without rainwater for extended periods, particularly for those of dry climates, whose scales are abundant.

In Costa Rica, the Bromeliaceae are plants typically of very wet areas, such as rain or cloud forests. In these ecological areas, the more

Tillandsia, Guzmania, Catopsis, Pitcairnia), donde llegan a formar poblaciones bastante densas y dominantes, sobre todo en los árboles. En las áreas secas la representación de la familia es muy escasa, limitándose a unas cuantas especies, principalmente del género *Tillandsia*, y algunas de *Aechmea, Bromelia, Catopsis* y *Pitcairnia*.

Para facilitar el uso de esta guía, las especies tratadas se han dividido en dos hábitats:

- Bosques secos
- Bosques húmedos o muy húmedos

El primer hábitat se refiere a aquellas áreas geográficas comprendidas en el Pacífico Norte, el Pacífico Central, la región occidental del Valle Central, el Valle del Candelaria y Acosta y la región del Valle del Río Grande de Térraba. El segundo hábitat abarca el resto del territorio costarricense. Aunque existen sistemas más completos de clasificación de clima y geografía, decidimos no utilizarlos en esta guía porque toman en cuenta una serie de factores que no son de fácil acceso para el lector no especializado.

Simbiosis

Algunas bromelias tienen simbiosis con ciertos insectos, como las hormigas. Esto se puede observar fácilmente en *Tillandsia bulbosa* y en *Tillandsia subulifera*. En éstas, la base de las hojas forma cavidades en

abundant genera (*Vriesea, Tillandsia, Guzmania, Catopsis, Pitcairnia*) are found forming dense and dominant populations, above all on trees. In drier areas, the representation of the family is very scarce and limited to only a few species, mainly *Tillandsia* and some *Aechmea, Bromelia, Catopsis* and *Pitcairnia*.

To facilitate the use of this guide, the species included have been divided into two habitats:

- Dry forests
- Rain forests

The first habitat refers to those geographical areas included in the Pacífico Norte, Pacífico Central, western region of the Valle Central, the Valle de la Candelaria and Acosta, and the region of the Valle del Río Grande de Térraba. The second defines the rest of the Costa Rican territory. Although there are more complex climatic and geographic classification systems, we decided not to include them, since our intention was to make this guide easier to follow for all readers.

Symbiosis

Some bromeliads have a symbiotic relationship with certain insects, such as ants. This can easily be observed in *Tillandsia bulbosa* and *Tillandsia subulifera*. In these plants, the bases of the leaves form

las cuales viven las hormigas, las cuales a su vez protegen a las plantas de los depredadores, sobre todo en época de floración. Hay que tener cuidado cuando se examinan estas plantas, especialmente en climas secos, porque generalmente, además de las hormigas, encontramos arañas y escorpiones, que buscan protección en sus hojas.

En las bromelias de clima húmedo —especialmente de la Cordillera de Talamanca, de la Cordillera Central y del Parque Nacional Tapantí— es común observar la acumulación de agua en la base de las plantas. Esto produce ambientes ideales para que se reproduzcan insectos como mosquitos y ranas; de hecho, la especie *Vriesea ranifera* (actualmente un sinónimo de *Vriesea latissima* (Mez & Wercklé) L. B. Smith & Pittendr.) debe su nombre a la gran cantidad de ranas que se encontraron en ella cuando se recolectó.

cavities in which ants live and these, in turn, protect them from predators, particularly during the blooming period. However, be careful when examining these plants, since besides ants, spiders and scorpions can be found seeking shelter in bromeliads leaves, particularly in dry areas.

In bromeliads of wet forests —particularly those of the Cordillera de Talamanca, the Cordillera Central and the Parque Nacional Tapantí— it is common to observe the accumulation of water in the base of the plant. This provides ideal reproductive environments for insects such as mosquitoes, and frogs. In fact, *Vriesea ranifera*, presently a synonym of *Vriesea latissima* (Mez & Wercklé) L. B. Smith & Pittendr., owes its name to the large amount of frogs that were discovered when the plant was collected.

Taxonomía

Dentro de la clasificación sistemática tradicionalmente aceptada, en la familia Bromeliaceae existen tres subfamilias, diferenciadas entre sí por las características del fruto, las semillas, los pétalos y la posición del ovario:

- Tillandsioideae
- Bromelioideae
- Pitcairnioideae

Taxonomy

Within the systematic classification traditionally accepted for the Bromeliaceae family, there are three subfamilies that are distinguished by the characteristics of their fruit, seeds, petals and the position of their ovaries:

- Tillandsioideae
- Bromelioideae
- Pitcairnioideae

La subfamilia Tillandsioideae es la más abundante en Costa Rica y está representada por seis géneros: *Vriesea* (68 especies), *Tillandsia* (42 spp.), *Guzmania* (28 spp.), *Catopsis* (9 spp.), *Racinaea* (5-6 spp.) y *Mezobromelia* (1 spp.). Dentro de éstos, el género *Vriesea* presenta un alto endemismo de especies localizadas únicamente en la Cordillera de Talamanca. Asimismo, el centro de distribución del género *Catopsis* está en Costa Rica, donde podemos encontrar la mayoría de especies presentes a escala mundial. Si bien varias especies de los géneros *Tillandsia* y *Guzmania* son de amplia distribución mundial, podemos encontrar varias endémicas, algunas de ellas descritas muy recientemente o con poblaciones muy localizadas. Esta subfamilia esta típicamente restringida a bosques muy húmedos, con excepción del género *Tillandsia*. La segregación del género *Vriesea* en otros géneros no es aceptada en esta guía.

La subfamilia Bromelioideae está representadas por ocho géneros: *Aechmea* (17 spp.), *Bromelia* (3 spp.), *Greigia* (2 spp.), *Ananas* (2 spp.), *Androlepis* (1 spp.), *Araeococcus* (1 spp.), *Billbergia* (1 spp.) y *Ronnbergia* (1 spp.). Aunque la mayoría de las especies es de amplia distribución y se puede encontrar tanto en climas húmedos como secos, existen algunas especies endémicas (1 spp. *Greigia*, 2 spp. *Aechmea*). El caso más llamativo es el del género *Billbergia*, que sólo se conoce por un especimen

In Costa Rica, the Tillandsioideae subfamily is the most abundant and is represented by 6 genera: *Vriesea* (68 species), *Tillandsia* (42 spp.), *Guzmania* (28 spp.), *Catopsis* (9 spp.), *Racinaea* (5-6 spp.) and *Mezobromelia* (1 spp.). Within these, *Vriesea* presents a high endemism of species located exclusively in the Cordillera de Talamanca. Moreover, the distribution center of *Catopsis* is concentrated in Costa Rica, where we can find more species than anywhere else in the world. Although many species of *Tillandsia* and *Guzmania* genera are widespread, there are many which are endemic and have been described very recently or with very localized populations. This subfamily is typically limited to rain forests, with the exception of *Tillandsia*. The segregation of *Vriesea* into numerous other genera is not followed in this guide.

The Bromelioideae subfamily is represented by 8 genera: *Aechmea* (17 spp.), *Bromelia* (3 spp.), *Greigia* (2 spp.), *Ananas* (2 spp.), *Androlepis* (1 spp.), *Araeococcus* (1 spp.), *Billbergia* (1 spp.), and *Ronnbergia* (1 spp.). Although most species are widely distributed and can be found both in humid and dry climates, there are some endemic species (1 spp. *Greigia*, 2 spp. *Aechmea*). The most interesting case is that of *Billbergia*, which is only known from a single specimen

recolectado por el científico Henry Pittier hace más de 100 años, cerca de Buenos Aires de Puntarenas.

La subfamilia Pitcairnioideae es la que se encuentra más pobremente representada en el país, con apenas dos géneros: *Pitcairnia* (18 spp.) y *Puya* (2 spp.).

Las Bromeliaceae se conocen popularmente en Costa Rica como "piñuelas", "epífitas" o "parásitas" y menos como Bromelias. Las plantas del género *Bromelia* se ha usado tradicionalmente como cercas. Sus frutos también han sido utilizados por los indígenas costarricenses para hacer bebidas fermentadas (la chicha), como en el caso de *Bromelia pinguin*.

Cómo usar esta guía

Las especies aparecen agrupadas según el tipo de inflorescencia:

Tipo de inflorescencia	Páginas
Péndula	24 a 46
Erecta:	
- oculta por las hojas	48 y 50
- globosa o alargada	52 a 70
- simple y de hojas grisáceas	72 a 76
- simple y de brácteas imbricadas	78 a 102
- compuesta pero pareciendo simple	104 a 120
- simple y con brácteas no imbricadas	122 a 132
- compuesta	134 a 182

collected by the scientist, Henry Pittier, more than 100 years ago, near Buenos Aires de Puntarenas.

The Pitcairnioideae subfamily is the most underrepresented in the country, with only 2 genera: *Pitcairnia* (18 spp.) and *Puya* (2 spp.).

The Bromeliads are popularly known in Costa Rica as "piñuelas", "epiphytes" or "parasites" and less as Bromeliads. Plants of the *Bromelia* genus have been used traditionally as hedges. Their fruits have also been used by Costa Rican indigenous peoples to prepare fermented beverages (chicha), with species such as *Bromelia pinguin*.

How to use this Guide

Species are grouped according to inflorescence type:

Inflorescence Type	Pages
Pendulous	24 to 46
Erect:	
- hidden among the leaves	48 and 50
- globose or elongate	52 to 70
- simple with gray leaves	72 to 76
- simple with bracts overlapping	78 to 102
- compound but appearing simple	104 to 120
- simple with bracts not overlapping	122 to 132
- compound	134 to 182

Lista de especies incluidas en esta guía
List of species included in this Guide

Entre paréntesis se indica la página
Page number is given in parenthesis

1. *Aechmea bracteata* (Sw.) Griseb. (160)
2. *Aechmea magdalenae* (André) André ex Baker (70)
3. *Aechmea mariae-reginae* H. A. Wendl. (68)
4. *Aechmea mexicana* Baker (162)
5. *Aechmea nudicaulis* (L.) Griseb. (132)
6. *Aechmea veitchii* Baker (66)
7. *Araeococcus pectinatus* L. B. Smith (24)
8. *Bromelia pinguin* L. (52)
9. *Bromelia plumieri* (E. Morren) L. B. Smith (54)
10. *Catopsis juncifolia* Mez & Wercklé ex Mez (158)
11. *Catopsis nitida* (Hook.) Griseb. (156)
12. *Catopsis nutans* (Sw.) Griseb. (34)
13. *Catopsis wagnerini* Mez & Wercklé ex Mez (38)
14. *Guzmania condensata* Mez & Wercklé (172)
15. *Guzmania coriostachya* (Griseb.) Mez (142)
16. *Guzmania desaultesii* Read & L. B. Smith (60)
17. *Guzmania donnell-smithii* Mez ex J. D. Smith (120)
18. *Guzmania glomerata* Mez & Wercklé (58)
19. *Guzmania monostachya* (L.) Rusby ex Mez (80)
20. *Guzmania nicaraguensis* Mez & Baker (78)
21. *Guzmania plicatifolia* L. B. Smith (152)
22. *Guzmania scandens* Luther & Kress (122)
23. *Guzmania scherzeriana* Mez (154)
24. *Guzmania sprucei* L. B. Smith (124)
25. *Pitcairnia atrorubens* (Beer) Baker (62)
26. *Pitcairnia brittoniana* Mez (126)

27. *Pitcairnia guzmanioides* L. B. Smith (64)
28. *Pitcairnia kalbreyeri* Baker (128)
29. *Pitcairnia valerii* Standl. (182)
30. *Puya dasylirioides* Standl. (56)
31. *Racinaea contorta* (Mez & Pittier ex Mez) M. A. Spencer & L. B. Smith (140)
32. *Racinaea rothschuhiana* (Mez) M. A. Spencer & L. B. Smith (168)
33. *Racinaea schumanniana* (Wittm.) J. R. Grant (40)
34. *Racinaea spiculosa* (Griseb.) M. A. Spencer & L. B. Smith (138)
35. *Tillandsia anceps* Lodd. (82)
36. *Tillandsia brachycaulos* Schltdl. (48)
37. *Tillandsia bulbosa* Hook. (134)
38. *Tillandsia caput-medusae* E. Morren. (76)
39. *Tillandsia complanata* Benth. (36)
40. *Tillandsia excelsa* Griseb. (148)
41. *Tillandsia fasciculata* Sw. (150)
42. *Tillandsia insignis* (Mez) L. B. Smith & Pittendr. (26)
43. *Tillandsia ionantha* Planch (50)
44. *Tillandsia lampoproda* L. B. Smith (84)
45. *Tillandsia leiboldiana* Schltdl. (146)
46. *Tillandsia multicaulis* Steud. (86)
47. *Tillandsia oerstediana* L. B. Smith (164)
48. *Tillandsia paucifolia* Baker (74)
49. *Tillandsia pruinosa* Sw. (72)
50. *Tillandsia punctulata* Schldl. & Cham. (90)
51. *Tillandsia schiedeana* Steud. (136)
52. *Tillandsia utriculata* L. (178)
53. *Tillandsia variabilis* Schltdl. (144)
54. *Vriesea acuminata* Mez & Wercklé (96)
55. *Vriesea barii* J. F. Morales (94)
56. *Vriesea bicolor* L. B. Smith (98)
57. *Vriesea camptoclada* Mez & Wercklé (170)
58. *Vriesea castaneo-bulbosa* (Mez & Wercklé) J. R. Grant (46)
59. *Vriesea chontalensis* (Baker) L. B. Smith (42)
60. *Vriesea hygrometrica* (André) L. B. Smith & Pittendr. (118)
61. *Vriesea incurva* (Griseb.) Read (44)
62. *Vriesea kupperiana* Suess. (180)
63. *Vriesea leucophylla* L. B. Smith (30)
64. *Vriesea luis-gomezii* Utley (114)

65. *Vriesea lyman-smithii* Utley (106)
66. *Vriesea marnier-lapostollei* L. B. Smith (130)
67. *Vriesea monstrum* (Mez) L. B. Smith (88)
68. *Vriesea ororiensis* (Mez) L. B. Smith & Pittendr. (108)
69. *Vriesea pittieri* Mez (100)
70. *Vriesea simulans* J. F. Morales (166)
71. *Vriesea singuliflora* (Mez & Wercklé) L. B. Smith & Pittendr. (116)
72. *Vriesea triflora* L. B. Smith & Pittendr. (174)
73. *Vriesea umbrosa* L. B. Smith (110)
74. *Vriesea uxoris* Utley (32)
75. *Vriesea vietoris* Utley (28)
76. *Vriesea viridis* (Mez & Wercklé) Smith & Pittendr. (104)
77. *Vriesea vittata* (Mez & Wercklé) L. B. Smith & Pittendr. (102)
78. *Vriesea vulcanicola* J. F. Morales (92)
79. *Vriesea werckleana* Mez (176)
80. *Vriesea williamsii* L. B. Smith (112)

Descripción de especies
Description of Species

Inflorescencia: Simple a compuesta.
>*Escapo*: Erecto a decurvado; 28-65 cm.
>*Brácteas*: Rojizas, 5-12 mm.
>*Pétalos*: No estudiados.

Floración: De julio a febrero.

Hábito: Epífita.

Altura: 45-90 cm.

Hojas: Láminas liguladas, 30-84 x 1,1-2,2 cm, verdes a moradas, con bordes finamente dentados.

Hábitat: Bosques muy húmedos.

Distribución en el país: Reserva Biológica Carara hasta la Península de Osa, incluyendo fajas costeñas; 0-800 m.

Distribución mundial: De Costa Rica a Colombia.

Inflorescence: Simple to compound.
>*Scape*: Erect to decurved, 28-65 cm.
>*Bracts*: Reddish, 5-12 mm.
>*Petals*: Not researched.

Blooming: From July to February.

Habit: Epiphytic.

Height: 45-90 cm.

Leaves: Ligulate laminae, 30-84 x 1.1-2.2 cm, green to purple, with finely toothed edges.

Habitat: Rain forests.

Distribution in the country: From the Reserva Biológica Carara to the Península de Osa, including coastal strips; 0-800 m.

Distribution in the world: From Costa Rica to Colombia.

Anita W. Cooper
©1996 CR.

Inflorescencia: Compuesta pero de apariencia simple.
>> *Escapo*: Erecto; 2-9,5 cm.
>> *Brácteas*: Rojas a rojizas, con el ápice verde, 5-12 mm.
>> *Pétalos*: Azul oscuro.

Floración: De setiembre a mayo.

Hábito: Epífita o terrestre.

Altura: Hasta 25 cm.

Hojas: Láminas lineales, 6,5-18,5 x 0,3-0,9 cm, verdes con la base marrón oscuro.

Hábitat: Bosques muy húmedos.

Distribución en el país: Cordillera de Guanacaste, Cordillera de Tilarán, San Ramón de Alajuela, Parque Nacional Tapantí, Depresión de La Palma entre el Volcán Irazú y el Volcán Barva, Cordillera de Talamanca (Vertiente Atlántica, Alto Lari); 1.100-2.000 m.

Distribución mundial: De Costa Rica a Panamá.

Inflorescence: Compound, but of simple appearance.
>> *Scape*: Erect, 2-9.5 cm.
>> *Bracts*: Red to reddish with a green apex, 5-12 mm.
>> *Petals*: Dark blue.

Blooming: September to May.

Habit: Epiphytic or terrestrial.

Height: Up to 25 cm.

Leaves: Linear laminae, 6.5-18.5 x 0.3-0.9 cm, green with a dark brown base.

Habitat: Rain forests.

Distribution in the country: Cordillera de Guanacaste, Cordillera de Tilarán, San Ramón de Alajuela, Parque Nacional Tapantí, Depresión de La Palma between Volcán Irazú and Volcán Barva, Cordillera de Talamanca (Atlantic slope, Alto Lari); 1,100-2,000 m.

Distribution in the world: From Costa Rica to Panama.

Vriesea vietoris

Vriesea vietoris

Inflorescencia: Simple.
    Escapo: Decurvado y péndulo, 26-43 cm.
    Brácteas: Rojas a rojo rosado.
    Pétalos: Verde crema.

Floración: De marzo a mayo.

Hábito: Epífita.

Altura: 21-30 cm.

Hojas: Láminas liguladas, 25-39 x 1,5-2,4 cm, verdes.

Hábitat: Bosques muy húmedos.

Distribución en el país: Cordillera de Talamanca, cerca de la Carretera Interamericana (de Casamata a La Chonta); 1.900-2.950 m.

Distribución mundial: Especie endémica.

Inflorescence: Simple.
    Scape: Decurved and pendulous, 26-43 cm.
    Bracts: Red to pink red.
    Petals: Creamy green.

Blooming: From March to May.

Habit: Epiphytic.

Height: 21 to 30 cm.

Leaves: Ligulate laminae, 25-39 x 1.5-2.4 cm, green.

Habitat: Rain forests.

Distribution in the country: Cordillera de Talamanca, near the Interamerican Highway (from Casamata to La Chonta); 1,900-2,950 m.

Distribution in the world: Endemic.

Vriesea leucophylla

Inflorescencia: Compuesta.
    Escapo: Decurvado, 24-46 cm.
    Brácteas: Primarias rojas a rojo rosado; florales verdes, 13-19 mm.
    Pétalos: Verde crema.

Floración: De marzo a agosto.

Hábito: Epífita.

Altura: 25-30 cm.

Hojas: Láminas liguladas, 22-40 x 1,9-2,9 cm, verdes, con líneas verdes a rojo oscuro, transversales, irregulares y ondulantes.

Hábitat: Bosques muy húmedos.

Distribución en el país: Parque Nacional Tapantí, Cordillera Central (Cerro Zurquí), Cordillera de Talamanca cerca de la Carretera Interamericana (La Sierra); 1.500-1.900 m.

Distribución mundial: Costa Rica y Panamá.

Vriesea leucophylla

Inflorescence: Compound.
    Scape: Decurved, 24-46 cm.
    Bracts: Primary, red, red to pinkish red; floral, green, 13-19 mm.
    Petals: Creamy green.

Blooming: From March to August.

Habit: Epiphytic.

Height: 25-30 cm.

Leaves: Ligulate laminae, 22-40 x 1.9-2.9 cm, green, with transverse, irregular and undulate green to dark red stripes.

Habitat: Rain forests.

Distribution in the country: Parque Nacional Tapantí, Cordillera Central (Cerro Zurquí), Cordillera de Talamanca near the Interamerican Highway (La Sierra); 1,500-1,900 m.

Distribution in the world: Costa Rica and Panama.

Inflorescencia: Compuesta.
>*Escapo:* Decurvado y péndulo, 36-43 cm.
>*Brácteas:* Primarias salmón a verde salmón; florales verde claro, 10-13 mm.
>*Pétalos:* Verde claro.

Floración: Abril, mayo.

Hábito: Epífita.

Altura: 45-60 cm.

Hojas: Láminas liguladas, 29-45 x 3-7 cm, verdes, moradas a variegadas con morado.

Hábitat: Bosques muy húmedos.

Distribución en el país: Cordillera de Talamanca cerca de la Carretera Interamericana (El Empalme, La Chonta); 1.900-2.300 m.

Distribución mundial: Especie endémica.

Inflorescence: Compound.
>*Scape:* Decurved and pendulous, 36-43 cm.
>*Bracts:* Primary, salmon to salmon green; floral, light green, 10-13 mm.
>*Petals:* Light green.

Blooming: April, May.

Habit: Epiphytic.

Height: 45-60 cm.

Leaves: Ligulate laminae, 29-45 x 3-7 cm, green, purple to variegated with purple.

Habitat: Rain forests.

Distribution in the country: Cordillera de Talamanca near the Interamerican Highway (El Empalme, La Chonta); 1,900-2,300 m.

Distribution in the world: Endemic.

Catopsis nutans

Catopsis nutans

Inflorescencia: Simple.
    Escapo: Penduloso a erecto, hasta 14 cm.
    Brácteas: Verdes, 5-20 mm.
    Pétalos: Amarillos.

Floración: De junio a agosto.

Hábito: Epífita.

Altura: 6-20 cm.

Hojas: Láminas liguladas, 4-22 x 1-3 cm, verdes.

Hábitat: Bosques secos y húmedos.

Distribución en el país: Cordillera de Guanacaste, Cordillera de Tilarán, zona Norte, Cerros de Puriscal, Fila Aguabuena (Acosta), Cartago, Cerros de Escazú, El Tablazo y La Carpintera; 40-2.150 m.

Distribución mundial: Desde el sur de Florida hasta Venezuela, Ecuador y las Antillas.

Inflorescence: Simple.
    Scape: Pendulous to erect, up to 14 cm.
    Bracts: Green, 5-20 mm.
    Petals: Yellow.

Blooming: From June to August.

Habit: Epiphytic.

Height: 6-20 cm.

Leaves: Ligulate laminae, 4-22 x 1-3 cm, green.

Habitat: dry and rain forests.

Distribution in the country: Cordillera de Guanacaste, Cordillera de Tilarán, zona norte, Cerros de Puriscal, Fila Aguabuena (Acosta), Cartago, Cerros de Escazú, El Tablazo and La Carpintera; 40-2,150 m.

Distribution in the world: From southern Florida to Venezuela, Ecuador and the West Indies.

Anita W. Cooper
©1996 CR

Tillandsia complanata

Inflorescencia: Simple.
> *Escapo*: Penduloso, 14-32 cm.
> *Brácteas*: Verde canela a verde rojizo.
> *Pétalos*: Rosado fucsia a lila.

Floración: Marzo a abril.

Hábito: Epífita.

Altura: 14-20 cm.

Hojas: Láminas liguladas, 19-39 x 1,6-5 cm, verdes o moradas.

Hábitat: Bosques muy húmedos, árboles en potreros.

Distribución en el país: Cordillera Central, Cordillera de Talamanca y sus estribaciones, Cerros de Caraigres, Cerros de Escazú, Cerros del Tablazo; 1.000-2.200 m.

Distribución mundial: De Costa Rica a Colombia, Venezuela, Ecuador, Perú, Bolivia, Brasil, Trinidad y Tobago, Jamaica.

Tillandsia complanata

Inflorescence: Simple.
> *Scape*: Pendulous, 14-32 cm.
> *Bracts*: Cinnamon-green to red-dish-green.
> *Petals*: Fuchsia pink to lilac.

Blooming: March to April.

Habit: Epiphytic.

Height: 14-20 cm.

Leaves: Ligulate laminae, 19-39 x 1.6-5 cm, green or purple.

Habitat: Rain forests, trees in grassland.

Distribution in the country: Cordillera Central, Cordillera de Talamanca and its spurs, Cerros de Caraigres, Cerros de Escazú, Cerros del Tablazo; 1,000-2,200 m.

Distribution in the world: From Costa Rica to Colombia, Venezuela, Ecuador, Peru, Bolivia, Brazil, Trinidad and Tobago, Jamaica.

Anita W. Cooper
©1996 C.R.

Catopsis wagnerini

Inflorescencia: Compuesta.
Escapo: Erecto a penduloso, hasta 10 cm.
Brácteas: Verdes, 5-14 mm.
Pétalos: Blancos.

Floración: Junio a agosto.

Hábito: Epífita.

Altura: 9-15 cm.

Hojas: Láminas liguladas, 6-22 x 1,1-3,7 cm, verdes.

Hábitat: Bosques muy húmedos de altura.

Distribución en el país: Cordillera de Tilarán, Cordillera Central, Cerros de Escazú y de La Carpintera, Cerros de Caraigres, Fila Aguabuena (Acosta), Parque Nacional Tapantí, Cordillera de Talamanca; 1.100-2.200 m.

Distribución mundial: De México a Panamá.

Catopsis wagnerini

Inflorescence: Compound.
Scape: Erect to pendulous, up to 10 cm.
Bracts: Green, 5-14 mm.
Petals: White.

Blooming: From June to August.

Habit: Epiphytic.

Height: 9-15 cm.

Leaves: Ligulate laminae, 6-22 x 1.1-3.7 cm, green.

Habitat: Rain forests.

Distribution in the country: Cordillera de Tilarán, Cordillera Central, Cerros de Escazú and La Carpintera, Cerros de Caraigres, Fila Aguabuena (Acosta), Parque Nacional Tapantí, Cordillera de Talamanca; 1,100-2,200 m.

Distribution in the world: From Mexico to Panama.

Anita W. Cooper
©1996 CR

Inflorescencia: Compuesta.
    Escapo: Erecto a decurvado, 7-32 cm.
    Brácteas: Verde grisáceo, 4-9 mm.
    Pétalos: Blancos, diminutos.

Floración: Enero a julio.

Hábito: Epífita.

Altura: 14-35 cm.

Hojas: Láminas triangulares, 9,5-30 x 0,7-2,2 cm, verdes a verde grisáceo.

Hábitat: Bosques muy húmedos.

Distribución en el país: Cordillera de Tilarán, Cordillera Central, Paraíso, Valle del Reventazón, Cordillera de Talamanca y sus estribaciones, Cerros de Escazú y El Tablazo; (900)1.200-2.400 m.

Distribución mundial: De Costa Rica a Bolivia.

Nota: Se distingue de *Racinaea adpressa* por su escapo erecto en floración, con el eje generalmente en forma de zigzag y los ramos laterales extendidos, despegados del eje.

Inflorescence: Compound.
    Scape: Erect to decurved, 7-32 cm.
    Bracts: Grayish green, 4-9 mm.
    Petals: White, minute.

Blooming: From January to July.

Habit: Epiphytic.

Height: 14-35 cm.

Leaves: Triangular laminae, 9.5-30 x 0.7-2.2 cm, green to grayish green.

Habitat: Rain forests.

Distribution in the country: Cordillera de Tilarán, Cordillera Central, Paraíso, Valle del Reventazón, Cordillera de Talamanca and its spurs, Cerros de Escazú and El Tablazo; (900)1,200-2,400 m.

Distribution in the world: From Costa Rica to Bolivia.

Note: Differentiated from *Racinaea adpressa* by its erect flowering scape, with a generally zigzag-shaped axis and extended lateral clusters, unfolded from the axis.

Inflorescencia: Simple.
  Escapo: Penduloso, 7,5-11,5 cm.
  Brácteas: Rojizas a verde rojizo, con la base amarilla.
  Pétalos: Verde claro.

Floración: De enero a abril.

Hábito: Epífita.

Altura: 10-16 cm.

Hojas: Láminas triangulares, 6-20 x 0,7-1,4 cm, verde grisáceo.

Hábitat: Bosques muy húmedos, árboles en potreros.

Distribución en el país: Cordillera de Talamanca y sus estribaciones, Faja Costeña del Valle de Quepos, Cerros de Caraigres (Tiquires), Vertiente Atlántica; 100-1.200 m.

Distribución mundial: De Nicaragua a Panamá.

Inflorescence: Simple.
  Scape: Pendulous, 7.5 11.5 cm.
  Bracts: Reddish to reddish green with a yellow base.
  Petals: Light green.

Blooming: From January to April.

Habit: Epiphytic.

Height: 10-16 cm.

Leaves: Triangular laminae, 6-20 x 0.7-1. 4 cm, grayish green.

Habitat: Rain forests, trees in grasslands.

Distribution in the country: Cordillera de Talamanca and its spurs, Quepos coastal strip, Cerros de Caraigres (Tiquires) Atlantic slope; 100-1,200m.

Distribution in the world: From Nicaragua to Panama.

Anita W. Cooper
©1996 CR

Vriesea incurva

Vriesea incurva

Inflorescencia: Simple.
  Escapo: Decurvado, 3-15 cm.
  Brácteas: Rojizas, rosadas, verde crema a verdes, 24-33 mm.
  Pétalos: Verdes a lila.

Floración: De enero a abril.

Hábito: Epífita.

Altura: 13-19 cm.

Hojas: Láminas triangulares, 10-37 x 1-2,1 cm, verde grisáceo.

Hábitat: Bosques muy húmedos.

Distribución en el país: San Ramón, Cordillera Central, Cerros de Escazú, Cordillera de Talamanca y sus estribaciones; 900-2.000 m.

Distribución mundial: De Costa Rica a Colombia, Venezuela, Ecuador, Bolivia, las Antillas.

Nota: Se distingue de *Vriesea castaneo–bulbosa* por sus brácteas generalmente más pequeñas, redondeadas a lo largo y con muchos puntos blancos diminutos.

Inflorescence: Simple.
  Scape: Decurved, 3-15 cm.
  Bracts: Reddish, pink, creamy green to green, 24-33 mm.
  Petals: Green to lilac.

Blooming: From January to April.

Habit: Epiphytic.

Height: 13-19 cm

Leaves: Triangular laminae, 10-37 x 1-2.1 cm, grayish green.

Habitat: Rain forests.

Distribution in the country: San Ramón, Cordillera Central, Cerros de Escazú, Cordillera de Talamanca and its spurs; 900-2,000 m.

Distribution in the world: From Costa Rica to Colombia, Venezuela, Ecuador, Bolivia, the West Indies.

Note: Differentiated from *Vriesea castaneo-bulbosa* for its generally smaller bracts, which are rounded in length and have many minute white spots.

Anita W. Cooper
© 1996 CR

Vriesea castaneo-bulbosa

Vriesea castaneo-bulbosa

Inflorescencia: Simple.
    Escapo: Decurvado, 16-22 cm.
    Brácteas: Rojizas a rosadas, 29-38 mm.
    Pétalos: Verdes.

Floración: De enero a marzo.

Hábito: Epífita.

Altura: 17-25 cm.

Hojas: Láminas triangulares, 19-38 x 2,5-5 cm, verde grisáceo.

Hábitat: Bosques muy húmedos.

Distribución en el país: Cordillera de Talamanca y sus estribaciones; 1.000-3.000 m.

Distribución mundial: Especie endémica.

Inflorescence: Simple.
    Scape: Decurved, 16-22 cm.
    Bracts: Reddish to pink, 29-38 mm.
    Petals: Green.

Blooming: From January to March.

Habit: Epiphytic.

Height: 17-25 cm.

Leaves: Triangular laminae, 19-38 x 2.5-5 cm, grayish green.

Habitat: Rain forests.

Distribution in the country: Cordillera de Talamanca and its spurs; 1,000-3.000 m.

Distribution in the world: Endemic.

Anita W. Cooper
©1996 CR

Inflorescencia: Simple.
    Escapo: Erecto, 1,5-6,5 cm.
    Brácteas: Verdes a rojizas, 1-1,9 cm.
    Pétalos: Lila a morado lila.

Floración: De febrero a junio.

Hábito: Epífita.

Altura: 8-14 cm.

Hojas: Láminas triangulares, 5,5-26,5 x 0,5-1 cm, rojas, verde rojizo a verdes.

Hábitat: Bosques secos a parcialmente húmedos, árboles en potreros.

Distribución en el país: Guanacaste, Pacífico Central, Valle del Térraba, Valle del Candelaria, Acosta; 0-1.200 m.

Distribución mundial: De México a Panamá.

Nota: Esta especie se reconoce fácilmente en el bosque seco por sus hojas, usualmente rojizas en época de floración.

Inflorescence: Simple.
    Scape: Erect, 1.5-6.5 cm.
    Bracts: Green to reddish, 1-1.9 cm.
    Petals: Lilac to lilac purple.

Blooming: From February to June.

Habit: Epiphytic.

Height: 8-14 cm,

Leaves: Triangular laminae, 5.5-26.5 x 0.5-1 cm, red, reddish green to green.

Habitat: dry to partially humid forests, trees in fields.

Distribution in the country: Guanacaste, Pacífico Central, Valle del Térraba, Valle del Candelaria, Acosta; 0-1,200 m.

Distribution in the world: From Mexico to Panama.

Note: This species is easily identified in the dry forests for its leaves, which are usually reddish during the blooming period.

Tillandsia ionantha

Inflorescencia: Simple.
    Escapo: Ausente o no visible.
    Brácteas: Verdes a rojizas, 28-31 mm.
    Pétalos: Morado oscuro.

Floración: De noviembre a enero.

Hábito: Epífita.

Altura: 5-8 cm.

Hojas: Láminas triangulares, 3-8 x 0,3 cm, grisáceas.

Hábitat: Bosques secos.

Distribución en el país: Golfo de Papagayo, Golfo de Nicoya, Balsa de Atenas; 0-100m.

Distribución mundial: De México a Costa Rica.

Nota: Una de las especies más raras del país; se conoce únicamente por recolecciones muy esporádicas, realizadas principalmente en árboles de acantilados costeros.

Tillandsia ionantha

Inflorescence: Simple.
    Scape: Absent or not visible.
    Bracts: Green to reddish, 28-31 mm.
    Petals: Dark purple.

Blooming: From November to January.

Habit: Epiphytic.

Height: 5-8 cm.

Leaves: Triangular laminae, 3-8 x 0.3 cm, grayish.

Habitat: dry forests.

Distribution in the country: Golfo de Papagayo, Golfo de Nicoya, Balsa de Atenas; 0-100 m.

Distribution in the world: From Mexico to Costa Rica.

Note: One of the rarest species in the country, known only from a few places on trees of coastal cliffs.

Anita W. Cooper
©1996 CR

Bromelia pinguin

Inflorescencia: Compuesta.
  Escapo: Erecto, 22-58 cm.
  Brácteas: Crema, 15-28 mm.
  Pétalos: Lila a rosado.

Floración: De mayo a junio.

Hábito: Terrestre.

Altura: 1-1,5 m.

Hojas: Láminas liguladas, 100-220 x 2,5-4,5 cm, verdes, que se tornan rojizas antes de la floración, dentadas.

Hábitat: Bosques secos, rara vez húmedos.

Distribución en el país: Guanacaste, Puntarenas, también en Limón pero probablemente introducido o cultivado; 0-800 m.

Distribución mundial: De México al norte de América del Sur, las Antillas.

Nota: Llega a formar poblaciones muy densas en el sotobosque. Se ha utilizado para la confección de cercas vivas. Se informa que sus frutos se han usado para la elaboración de jaleas y refrescos.

Bromelia pinguin

Inflorescence: Compound.
  Scape: Erect, 22-58 cm.
  Bracts: Cream, 15-28 mm.
  Petals: Lilac to pink.

Blooming: From May to June.

Habit: Terrestrial.

Height: 1-1.5 m.

Leaves: Ligulate laminae, 100-220 x 2.5-4.5 cm, green, turning reddish before blooming, toothed.

Habitat: dry forests, rarely found in rain forests.

Distribution in the country: Guanacaste, Puntarenas, also in Limón but probably introduced or planted; 0-800 m.

Distribution in the world: From Mexico to the northern part of South America, the West Indies.

Note: This species forms very dense populations in the forest understory. It has been used in hedges. Reportedly, the fruits have been used in the preparation of jams and beverages.

Bromelia plumieri

Bromelia plumieri

Inflorescencia: Compuesta.
    Escapo: Ausente o muy corto.
    Brácteas: Ferrugíneas a marrón ferrugíneo, 65-90 mm.
    Pétalos: Rosados.

Floración: Junio y julio.

Hábito: Terrestre.

Altura: 2-3 m.

Hojas: Láminas liguladas, 160-310 x 2-5 cm, verdes, dentadas.

Hábitat: Bosques secos y húmedos.

Distribución en el país: Península de Nicoya, faldas de la Cordillera de Tilarán, Valle del Térraba y cerca de Dominical; 50-1.050 m.

Distribución mundial: De México a Ecuador y Brasil, las Antillas.

Nota: No es una especie muy común y generalmente se confunde con *Bromelia pinguin*. La inflorescencia corta e incluida en el centro de la roseta impide localizarla fácilmente cuando está en floración.

Inflorescence: Compound.
    Scape: Absent or very short.
    Bracts: Rust to rust brown, 65-90 mm.
    Petals: Pink.

Blooming: June, July.

Habit: Terrestrial.

Height: 2-3 m.

Leaves: Ligulate laminae, 160-310 x 2-5 cm, green, toothed.

Habitat: Dry and rain forests.

Distribution in the country: Península de Nicoya, slopes of the Cordillera de Tilarán, Valle del Térraba and near Dominical; 50-1,050 m.

Distribution in the world: From Mexico to Ecuador and Brazil, the West Indies.

Note: This is not a common species and it is generally mistaken for *Bromelia pinguin*. The short inflorescence hidden within the base of the rosette prevents it from being easily found when it is in bloom.

Puya dasylirioides

Puya dasylirioides

Inflorescencia: Compuesta.
  Escapo: Erecto, 1,2-2,2 m.
  Brácteas: Verde ferrugíneo, 19-23 mm.
  Pétalos: Azules.

Floración: Junio y julio.

Hábito: Terrestre.

Altura: 1,5-2,5 m.

Hojas: Láminas triangulares, 30-55 x 2,1-5,2 cm, verde grisáceo, serradas.

Hábitat: Turberas y sabanas.

Distribución en el país: Cordillera de Talamanca; 2.600-3.100 m.

Distribución mundial: Especie endémica.

Nota: La inflorescencia empieza con una forma globosa y se va alargando paulatinamente. Esta especie llega a formar colonias densas y dominantes en las turberas de la Cordillera de Talamanca.

Inflorescence: Compound.
  Scape: Erect, 1.2-2.2 m.
  Bracts: Rust green, 19-23 mm.
  Petals: Blue.

Blooming: June, July.

Habit: Terrestrial.

Height: 1.5-2.5 m.

Leaves: Triangular laminae, 30-55 x 2.1-5.2 cm, grayish green, serrate.

Habitat: Peat bogs and savannas.

Distribution in the country: Cordillera de Talamanca; 2,600-3,100 m.

Distribution in the world: Endemic.

Note: The inflorescence begins with a globose form and gradually elongates. This species can form dense and dominant colonies in peat bogs of the Cordillera de Talamanca.

Guzmania glomerata

Guzmania glomerata

Inflorescencia: Compuesta, sub-capitada.
> *Escapo:* Erecto, 30-64 cm.
> *Brácteas:* Verde-morado, base marrón oscuro, 21-32 mm.
> *Pétalos:* Blancos.

Floración: De abril a agosto.

Hábito: Epífita.

Altura: 50-70 cm.

Hojas: Láminas liguladas, 50-87 x 2,5-4,1 cm, verdes, marrón oscuro cerca de la base.

Hábitat: Bosques muy húmedos.

Distribución en el país: Cordillera de Guanacaste, Cordillera de Tilarán, Parque Nacional Tapantí, Siquirres, Cordillera de Talamanca (Fila Matama); 700-1.600 m.

Distribución mundial: De Nicaragua a Colombia.

Inflorescence: Compound, sub-capitate.
> *Scape:* Erect, 30-64 cm.
> *Bracts:* Purple green, dark brown base, 21-32 mm.
> *Petals:* White.

Blooming: From April to August.

Habit: Epiphytic.

Height: 50-70 cm.

Leaves: Ligulate laminae, 50-87 x 2.5-4.1 cm, green, dark brown close to the base.

Habitat: Rain forests.

Distribution in the country: Cordillera de Guanacaste, Cordillera de Tilarán, Parque Nacional Tapantí, Siquirres, Cordillera de Talamanca (Fila Matama); 700-1,600 m.

Distribution in the world: From Nicaragua to Colombia.

Anita V.P. Cooper
©1996 CR

Guzmania desaultesii

Inflorescencia: Simple.
> *Escapo:* Erecto a curvo-erecto, 8-12 cm.
> *Brácteas:* Rojizas, cambiando a canela después de la floración, 28-41 mm.
> *Pétalos:* Blancos.

Floración: De enero a mayo.

Hábito: Epífita o terrestre.

Altura: 30-40 cm.

Hojas: Láminas liguladas; 15-69 cm, verdes a moradas.

Hábitat: Bosques muy húmedos.

Distribución en el país: Cordillera de Guanacaste, Cordillera de Tilarán, San Carlos (Boca Tapada), Siquirres, Fajas costeñas de Tarrazú, Cordillera de Talamanca (Fila Matama); 100-1.200 m.

Distribución mundial: Costa Rica y Panamá.

Guzmania desaultesii

Inflorescence: Simple.
> *Scape:* Erect to curve-erect, 8-12 cm.
> *Bracts:* Reddish, changing into cinnamon after blooming, 28-41 mm.
> *Petals:* White.

Blooming: From January to May.

Habit: Epiphytic or terrestrial.

Height: 30-40 cm.

Leaves: Ligulate laminae, 15-69 cm, green to purple.

Habitat: Rain forests.

Distribution in the country: Cordillera de Guanacaste, Cordillera de Tilarán, San Carlos (Boca Tapada), Siquirres, Tarrazú coastal strips, Cordillera de Talamanca (Fila Matama); 100-1,200 m.

Distribution in the world: Costa Rica and Panama.

Anita W. Cooper
©1996 CR

Pitcairnia atrorubens

Inflorescencia: Simple.
> *Escapo*: Erecto, 15-28 cm.
> *Brácteas*: Rojo oscuro, café rojizo a raramente verde amarillento, 50-85 mm.
> *Pétalos*: Amarillos.

Floración: De abril a octubre.

Hábito: Terrestre.

Altura: 80-115 cm.

Hojas: Láminas lanceoladas a elípticas, pecioladas, 50-147 cm, pecíolo serrado.

Hábitat: Bosques muy húmedos.

Distribución en el país: Cordillera de Guanacaste, Cordillera de Tilarán, Cordillera Central, Tapantí, Turrialba, Cordillera de Talamanca y sus estribaciones, Península de Osa; 100-1.800 m.

Distribución mundial: De Guatemala a Colombia.

Nota: Se distingue de *Pitcairnia wendlandii* por sus pecíolos serrados.

Pitcairnia atrorubens

Inflorescence: Simple.
> *Scape*: Erect, 15-28 cm.
> *Bracts*: Dark red, reddish brown to rarely yellowish green, 50-85 mm.
> *Petals*: Yellow.

Blooming: From April to October.

Habit: Terrestrial.

Height: 80-115 cm.

Leaves: Lanceolate to elliptic laminae, petiolate, 50-147 cm, serrate petiole.

Habitat: Rain forests.

Distribution in the country: Cordillera de Guanacaste, Cordillera de Tilarán, Cordillera Central, Tapantí, Turrialba, Cordillera de Talamanca and its spurs, Península de Osa; 100-1,800 m.

Distribution in the world: From Guatemala to Colombia.

Note: Differentiated from *Pitcairnia wendlandii* by its serrate petioles.

Anita W. Cooper
©1996 CR

Pitcairnia guzmanioides

Inflorescencia: Simple, más o menos cilíndrica.

> *Escapo:* Erecto, 45-95 cm.
> *Brácteas:* Rojizas, 17-39 mm.
> *Pétalos:* Amarillo crema a blanco crema.

Floración: De mayo a julio.

Hábito: Epífita o terrestre.

Altura: 60-100 cm.

Hojas: Láminas liguladas, 78-176 x 3,5-6 cm, verde blancuzco a verdes, enteras.

Hábitat: Bosques muy húmedos.

Distribución en el país: Tapantí, Valle del Reventazón, Cordillera de Talamanca (Casamata); 1.500-1.900 m.

Distribución mundial: Costa Rica, de Colombia a Perú.

Nota: Similar a *Aechmea veitchii*, con la cual crece en forma conjunta y de la que se distingue por sus hojas y brácteas florales enteras.

Pitcairnia guzmanioides

Inflorescence: Simple, more or less cylindrical.

> *Scape:* Erect, 45-95 cm.
> *Bracts:* Reddish, 17-39 mm.
> *Petals:* Creamy yellow to creamy white.

Blooming: From May to July.

Habit: Epiphytic or terrestrial.

Height: 60-100 cm.

Leaves: Ligulate laminae, 78-176 x 3.5-6 cm, whitish green to green, whole.

Habitat: Rain forests.

Distribution in the country: Tapantí, Valle del Reventazón, Cordillera de Talamanca (Casamata); 1,500-1,900 m.

Distribution in the world: Costa Rica, from Colombia to Perú.

Note: Similar to Aechmea veitchii, with which it grows. Its untoothed leaves and floral bracts differentiate this species.

Anita W. Cooper
©1996 CR

Aechmea veitchii

Inflorescencia: Simple, más o menos cilíndrica.
> *Escapo:* Erecto, 35-57 cm.
> *Brácteas:* Rojizas, 19-28 mm, serradas.
> *Pétalos:* Blancos.

Floración: De enero a julio.

Hábito: Epífita o terrestre.

Altura: 60-100 cm.

Hojas: Láminas liguladas, 58-105 x 2,8-4,6 cm, verde blancuzco a verdes, finamente serradas.

Hábitat: Bosques muy húmedos.

Distribución en el país: Parque Nacional Tapantí, Moravia de Chirripó, Cordillera de Talamanca; 1.200-1.700 m.

Distribución mundial: De Costa Rica a Perú.

Aechmea veitchii

Inflorescence: Simple, more or less cylindrical.
> *Scape:* Erect, 35-57 cm.
> *Bracts:* Reddish, 19-28 mm, serrate.
> *Petals:* White.

Blooming: From January to July.

Habit: Epiphytic or terrestrial.

Height: 60-100 cm.

Leaves: Ligulate laminae, 58-105 x 2.8-4.6 cm, whitish green to green, finely serrate.

Habitat: Rain forests.

Distribution in the country: Parque Nacional Tapantí, Moravia de Chirripó, Cordillera de Talamanca; 1,200-1,700 m.

Distribution in the world: From Costa Rica to Peru.

Inflorescencia: Simple, más o menos cilíndrica.

> *Escapo:* Erecto, 45-76 cm.
> *Brácteas:* Primarias, foliáceas, rosadas a rojo rosado.
> *Pétalos:* Blancos, algunas veces con el ápice azul.

Floración: De setiembre a abril.

Hábito: Epífita.

Altura: 130-160 cm.

Hojas: Láminas liguladas, 63-95 x 6,5-14,5 cm, verdes, serradas.

Hábitat: Bosques muy húmedos.

Distribución en el país: Cordillera de Tilarán (Vertiente Atlántica), zona norte, Vertiente Atlántica, Cerros del Tablazo, Cerro El Espino, Cartago, Cordillera de Talamanca (Vertiente Atlántica); 10-1.800 m.

Distribución mundial: Especie endémica, pero probablemente en el sur de Nicaragua.

Inflorescence: Simple, more or less cylindrical.

> *Scape:* Erect, 45-76 cm.
> *Bracts:* Primary, foliaceous, pink to pinkish red.
> *Petals:* White, sometimes with a blue apex.

Blooming: From September to April.

Habit: Epiphytic.

Height: 130-160 cm.

Leaves: Ligulate laminae, 63-95 x 6.5-14.5 cm, green, serrate.

Habitat: Rain forests.

Distribution in the country: Cordillera de Tilarán (Atlantic slope), the northern part of the country, Atlantic slope, Cerros del Tablazo, Cerro El Espino, Cartago, Cordillera de Talamanca (Atlantic slope); 10-1,800 m.

Distribution in the world: Endemic, but probably in Southern Nicaragua.

Inflorescencia: Simple a digitadamente compuesta.
>*Escapo:* Erecto, hasta 65 cm.
>*Brácteas:* Rojizas, 35-90 mm.
>*Pétalos:* Amarillos.

Floración: De agosto a octubre.

Hábito: Terrestre.

Altura: 1,5-2 m.

Hojas: Láminas liguladas, 180-300 x 4,5-8 cm, verdes, serradas.

Hábitat: Bosques muy húmedos a bosques semideciduos.

Distribución en el país: Cerro El Hacha (Parque Nacional Guanacaste), Península de Nicoya, Reserva Biológica Carara, Filas Costeñas de Acosta (Fila Zoncuano), Limón y Guápiles, Cordillera de Talamanca (Vertiente Atlántica), Fila Retinto (Palmar Norte), Isla del Caño, Península de Osa; 0-960 m.

Distribución mundial: De México a Venezuela, Colombia y Ecuador.

Nota: Se reconoce por el tamaño y forma de la planta (que recuerda al género *Bromelia*) y las largas y vistosas brácteas florales de su inflorescencia.

Inflorescence: Simple to digitately compound.
>*Scape:* Erect, up to 65 cm.
>*Bracts:* Reddish, 35-90 mm.
>*Petals:* Yellow.

Blooming: From August to October.

Habit: Terrestrial.

Height: 1.5-2 m.

Leaves: Ligulate laminae, 180-300 x 4.5-8 cm, green, serrate.

Habitat: Rain forests to semideciduous forests.

Distribution in the country: Cerro El Hacha (Parque Nacional Guanacaste), Península de Nicoya, Reserva Biológica Carara, Filas Costeñas de Acosta (Fila Zoncuano), Limón and Guápiles, Cordillera de Talamanca (Atlantic slope), Fila Retinto (Palmar Norte), Isla del Caño, Península de Osa; 0-960 m.

Distribution in the world: From Mexico to Venezuela, Colombia and Ecuador.

Note: This plant is recognized for its size and shape (which is that of *Bromelia* species) and for the large and colorful floral bracts of its inflorescence.

Inflorescencia: Simple.
   Escapo: Erecto, 2,2-4,1 cm.
   Brácteas: Verde grisáceo, 1-2,7 cm.
   Pétalos: Morados a lila.

Floración: De enero a abril.

Hábito: Epífita.

Altura: 5-8 cm.

Hojas: Láminas triangulares, 4-14,5 x 0,4-0,8 cm, verde grisáceo.

Hábitat: Bosques muy húmedos, árboles en potreros.

Distribución en el país:

Cordillera de Tilarán, Pejibaye (Cartago); 500-1.200 m.

Distribución mundial: De Florida a Ecuador, Brasil, las Antillas.

Nota: Es una de las especies más escasas en el país.

Inflorescence: Simple.
   Scape: Erect, 2.2-4.1 cm.
   Bracts: Grayish green, 1-2.7 cm.
   Petals: Purple to lilac.

Blooming: From January to April.

Habit: Epiphytic.

Height: 5-8 cm.

Leaves: Triangular laminae, 4-14.5 x 0.4-0.8 cm, grayish green.

Habitat: Rain forests, trees in grasslands.

Distribution in the country: Cordillera de Tilarán, Pejibaye (Cartago); 500-1,200 m.

Distribution in the world: From Florida to Ecuador, Brazil, the West Indies.

Note: One of the scarcest species in the country.

Tillandsia paucifolia

Inflorescencia: Simple.
   Escapo: Erecto, 1,5-6 cm.
   Brácteas: Verde grisáceo, 1,9-3,2 cm.
   Pétalos: Morados a lila.

Floración: De mayo a julio.

Hábito: Epífita.

Altura: 7-20 cm.

Hojas: Láminas triangulares, 8-21 x 0,5-2 cm, grisáceas a verde grisáceo.

Hábitat: Bosques secos.

Distribución en el país: Guanacaste, Golfo de Nicoya, Puntarenas hasta Tárcoles, 0-300 m.

Distribución mundial: De Florida a Costa Rica, Colombia, Venezuela, las Antillas.

Tillandsia paucifolia

Inflorescence: Simple.
   Scape: Erect, 1.5-6 cm.
   Bracts: Grayish green, 1.9-3.2 cm.
   Petals: Purple to lilac.

Blooming: From May to July.

Habit: Epiphytic.

Height: 7-20 cm.

Leaves: Triangular laminae, 8-21 x 0.5-2 cm, grayish to grayish green.

Habitat: dry forests.

Distribution in the country: Guanacaste, Golfo de Nicoya, Puntarenas to Tárcoles; 0-300 m.

Distribution in the world: From Florida to Costa Rica, Colombia, Venezuela, the West Indies.

Inflorescencia: Compuesta a simple.
> *Escapo:* Erecto, 9-14,5 cm.
> *Brácteas:* Verde grisáceo, 1,3-2,1 cm.
> *Pétalos:* Lila a morado claro.

Floración: De marzo a mayo.

Hábito: Epífita.

Altura: 11-25 cm.

Hojas: Láminas triangulares, 6-25 x 0,4-1,5 cm, grisáceas a verde-grisáceo.

Hábitat: Bosques secos, bosques semideciduos, bosques húmedos.

Distribución en el país: Guanacaste, Pacífico Central, Valle del río Tárcoles, Valle Central, Puriscal, Acosta; 100-1.000 m.

Distribución mundial: De México a Panamá.

Nota: Muy común en el Valle Central, donde es fácil observarla creciendo en los árboles de avenidas y parques.

Inflorescence: Compound to simple.
> *Scape:* Erect, 9-14.5 cm.
> *Bracts:* Grayish-green, 1.3-2.1 cm.
> *Petals:* Lilac to light purple.

Blooming: From March to May.

Habit: Epiphytic.

Height: 11-25 cm.

Leaves: Triangular laminae, 6-25 x 0.4-1.5 cm, grayish to grayish green.

Habitat: dry forests, semideciduous forests and rain forests.

Distribution in the country: Guanacaste, Central Pacific, Valle del río Tárcoles, Valle Central, Puriscal, Acosta; 100-1,000m.

Distribution in the world: From Mexico a Panama.

Note: Very common in the Valle Central, where it is easy to see it growing on trees of parks and avenues.

Inflorescencia: Simple.
  Escapo: Erecto, 10-19,5 cm.
  Brácteas: Rojas a verde rojizo, 46-66 cm.
  Pétalos: Amarillos.

Floración: De enero a julio.

Hábito: Epífita o terrestre.

Altura: 25-40 cm.

Hojas: Láminas liguladas, 23-41 cm, verdes con líneas longitudinales rojizas o moteadas de morado.

Hábitat: Bosques muy húmedos.

Distribución en el país: Cordillera de Guanacaste, Cordillera Tilarán, Cordillera de Talamanca; 1.000-1.700 m.

Distribución mundial: De México a Panamá.

Inflorescence: Simple.
  Scape: Erect, 10-19.5 cm.
  Bracts: Red to reddish green, 46-66 mm.
  Petals: Yellow.

Blooming: From January to July.

Habit: Epiphytic or terrestrial.

Height: 25-40 cm.

Leaves: Ligulate laminae, 23-41 cm, green with reddish or purple mottled longitudinal lines.

Habitat: Rain forests.

Distribution in the country: Cordillera de Guanacaste, Cordillera de Tilarán, Cordillera de Talamanca; 1,000-1,700 m.

Distribution in the world: From Mexico to Panama.

Paula W. Cooper
© 1996 CR

Guzmania monostachya

Guzmania monostachya

Inflorescencia: Simple.
    Escapo: Erecto, 14-24 cm.
    Brácteas: Inferiores verdes con líneas longitudinales moradas; superiores rojas, 25-50 mm.
    Pétalos: Blancos.

Floración: De diciembre a setiembre.

Hábito: Epífita.

Altura: 18-30 cm.

Hojas: Láminas liguladas, 16-43 x 0,8-2,1 cm, verdes.

Hábitat: Bosques húmedos a muy húmedos.

Distribución en el país: Cordillera de Tilarán, Cerros de Puriscal, Valle del Reventazón, estribaciones de la Cordillera de Talamanca, Valle de la Estrella, zona norte, Llanuras de San Carlos y Sarapiquí, Limón, Cerros de Escazú (Tarbaca), zona sur; 50-1.850 m.

Distribución mundial: El sur de Florida, Mesoamérica, norte de América del Sur hasta Perú, Bolivia y Brasil, las Antillas.

Inflorescence: Simple.
    Scape: Erect, 14-24 cm.
    Bracts: Lower ones, green with purple longitudinal lines; superior ones, red, 25-50 mm.
    Petals: White.

Blooming: From December to September.

Habit: Epiphytic.

Height: 18-30 cm.

Leaves: Ligulate laminae, 16-43 x 0.8-2.1 cm, green.

Habitat: Rain forests.

Distribution in the country: Cordillera de Tilarán, Cerros de Puriscal, Valle del Reventazón, Cordillera de Talamanca spurs, Valle de la Estrella, the northern part of the country, Llanuras de San Carlos and Sarapiquí, Limón, Cerros de Escazú (Tarbaca), southern part of the country; 50-1,850 m.

Distribution in the world: Southern part of Florida, Mesoamerica, northern part of South America to Peru, Bolivia and Brazil, the West Indies.

Anita W. Cooper
©1996 CR

Inflorescencia: Simple.
 Escapo: Erecto, 7-12,5 cm.
 Brácteas: Verde claro a rosado pálido, 3-4,3 cm.
 Pétalos: Blancos, blanco-lila a lila claro.

Floración: De marzo a octubre.

Hábito: Epífita.

Altura: 15-25 cm.

Hojas: Láminas triangulares 16-30 x 1,1-1,6 cm, verdes, a veces con líneas longitudinales moradas.

Hábitat: Bosques muy húmedos.

Distribución en el país: Cordillera de Guanacaste, Cordillera de Tilarán, Pacífico Central (desde Carara) y Sur, Fajas Costeñas de Puriscal, Acosta y Quepos, zona norte, Vertiente Atlántica; 0-1.100m.

Distribución mundial: De México a Colombia, Venezuela, las Guyanas, Brasil, Trinidad y Tobago.

Inflorescence: Simple.
 Scape: Erect, 7-12.5 cm.
 Bracts: Light green to pale pink, 3-4.3 cm.
 Petals: White, lilac white to light lilac.

Blooming: From March to October.

Habit: Epiphytic.

Height: 15-25 cm.

Leaves: Triangular laminae, 16-30 x 1.1-1.6 cm, green, sometimes with purple longitudinal lines.

Habitat: Rain forests.

Distribution in the country: Cordillera de Guanacaste, Cordillera de Tilarán, central and south Pacific (from Carara), Puriscal, Acosta and Quepos coastal strips, the northern part of the country, Vertiente Atlántica; 0-1,100 m.

Distribution in the world: From Mexico to Colombia, Venezuela, the Guyanas, Brazil, Trinidad and Tobago.

Anita W. Cooper
©1996 CR

Inflorescencia: Simple.
    Escapo: Erecto, 18-32 cm.
    Brácteas: Dísticas rojizas, ana-
    ranjadas a amarillo marrón,
    4,5-6 cm.
    Pétalos: Amarillos a amarillo
    crema.

Floración: De febrero a marzo.

Hábito: Epífita o terrestre.

Altura: 15-35 cm.

Hojas: Láminas triangulares, 23-35
x 1,4-2,2 cm, canela en la base y el
resto marrón-morado a negro.

Hábitat: Bosques muy húmedos,
áreas alteradas, árboles en potreros.

Distribución en el país: Cordillera
de Talamanca, Cerros de Escazú,
Cerros del Tablazo; 1.700-1.900 m.

Distribución mundial: De México
a Costa Rica.

Nota: Especie muy rara, conocida
sólo por poblaciones muy localizadas.

Inflorescence: Simple.
    Scape: Erect, 18-32 cm.
    Bracts: Distichous, reddish,
    orange to brownish yellow,
    4.5-6 cm.
    Petals: Yellow to creamy
    yellow.

Blooming: From February to March.

Habit: Epiphytic or terrestrial.

Height: 15-35 cm.

Leaves: Triangular laminae, 23-35 x
1.4-2.2 cm, cinnamon at the base
and the rest dark brown, purplish
brown to black.

Habitat: Rain forests, altered areas,
trees in grasslands.

Distribution in the country:
Cordillera de Talamanca, Cerros de
Escazú, Cerros del Tablazo; 1,700-
1,900 m.

Distribution in the world: From
Mexico to Costa Rica.

Note: Very rare species, known only by a few, endemic populations.

Anita W. Cooper
© 1996 C.R.

Inflorescencia: Simple.
Escapo: Erecto, 6-14,5 cm.
Brácteas: Dísticas rojas, anaranjadas, rojo crema, crema a verdes, 3,9-6,6 cm.
Pétalos: Morado oscuro.

Floración: De febrero a abril.

Hábito: Epífita.

Altura: 15-30 cm.

Hojas: Láminas liguladas, 14-33 a 2-4 cm, verdes, algunas veces variegadas con morado.

Hábitat: Bosques muy húmedos, áreas alteradas, árboles en potreros.

Distribución en el país: Cordillera de Tilarán, Cordillera Central y Cordillera de Talamanca, Fila Bustamante (Cerros de Caraigres), Cerros de Escazú y Cerros del Tablazo; 950-2.300 m.

Distribución mundial: De México a Panamá.

Nota: Es una de las especies más comunes en las cercanías del Valle Central.

Inflorescence: Simple.
Scape: Erect, 6-14.5 cm.
Bracts: Distichous, red, orange, cream red, cream to green, 3.9-6.6 cm.
Petals: Dark purple.

Blooming: From February to April.

Habit: Epiphytic.

Height: 15-30 cm.

Leaves: Ligulate laminae, 14-33 x 2-4 cm, green, sometimes variegated with purple.

Habitat: Rain forests, altered areas, trees in grasslands.

Distribution in the country: Cordillera de Tilarán, Cordillera Central, Cordillera de Talamanca, Fila Bustamante (Cerros de Caraigres), Cerros de Escazú and Cerros del Tablazo; 950-2,300 m.

Distribution in the world: From Mexico to Panama.

Note: One of the most common species in the areas surrounding the Valle Central.

Anita W Cooper
3/1996 CR

Vriesea monstrum

Vriesea monstrum

Inflorescencia: Simple.
    Escapo: Erecto, 16,5-22,5 cm.
    Brácteas: Verdes, rojizas, verde rosado, 85-135 mm.
    Pétalos: Verde claro.

Floración: De mayo a junio.

Hábito: Epífita.

Altura: 40-65 cm.

Hojas: Láminas liguladas, 36-78 x 5,3-8,2 cm, verdes.

Hábitat: Bosques muy húmedos.

Distribución en el país: Cordillera de Guanacaste, Cordillera de Tilarán, falda Atlántica, Cordillera Central; 500-1.200 m.

Distribución mundial: De Costa Rica a Colombia.

Inflorescence: Simple.
    Scape: Erect, 16.5-22.5 cm.
    Bracts: Green, reddish, pink green, 85-135 mm.
    Petals: Light green.

Blooming: From May to June.

Habit: Epiphytic.

Height: 40-65 cm.

Leaves: Ligulate laminae, 36-78 x 5.3-8.2 cm, green.

Habitat: Rain forests.

Distribution in the country: Cordillera de Guanacaste, Cordillera Central, Cordillera de Tilarán, Vertiente Atlántica; 500-1,200 m.

Distribution in the world: From Costa Rica to Colombia.

Tillandsia punctulata

Tillandsia punctulata

Inflorescencia: Simple.
   Escapo: Erecto, 6-11(15) cm.
   Brácteas: Basales rojas, distales verdes.
   Pétalos: Morado oscuro.

Floración: De junio a marzo.

Hábito: Epífita.

Altura: 13-20 cm.

Hojas: Láminas triangulares, 10-33 x 0,4-1,2 cm, verde con la base negro-marrón.

Hábitat: Bosques muy húmedos, árboles en potreros.

Distribución en el país: Cordillera de Guanacaste, Cordillera de Tilarán y Cordillera Central, Cerros de Escazú, Cerros de Caraigres, Cordillera de Talamanca y sus estribaciones; (700)1.000-2.300 m.

Distribución mundial: De México a Panamá.

Inflorescence: Simple.
   Scape: Erect, 6-11(15) cm.
   Bracts: Basals, red; distals, green.
   Petals: Dark purple.

Blooming: From June to March.

Habit: Epiphytic.

Height: 13-20 cm.

Leaves: Triangular laminae, 10-33 x 0.4-1.2 cm, green with a brown black base.

Habitat: Rain forests, trees in grasslands.

Distribution in the country: Cordillera de Guanacaste, Cordillera de Tilarán, Cordillera Central, Cerros de Escazú, Cerros de Caraigres, Cordillera de Talamanca and its spurs; (700)1,000-2,300 m.

Distribution in the world: From Mexico to Panama.

Inflorescencia: Simple.
  Escapo: Erecto, 33-37 cm.
  Brácteas: Verde marrón a verde rojizo en floración, luego canela marrón, 52-59 mm.
  Pétalos: Crema.

Floración: Enero.

Hábito: Terrestre.

Altura: 30-40 cm.

Hojas: Láminas liguladas, 27-34 x 5-6 cm, verdes.

Hábitat: Bosques muy húmedos.

Distribución en el país: Volcán Rincón de la Vieja; 1.700-1.800 m.

Distribución mundial: Especie endémica.

Nota: Se diferencia de *Vriesea brunei* por sus brácteas y sépalos claramente rugosos; de *Vriesea tonduziana* se separa por su inflorescencia dística (no unilateral) y las brácteas florales engrosadas en una punta vistosa.

Inflorescence: Simple.
  Scape: Erect, 33-37 cm.
  Bracts: Brown green to reddish green at flowering, then brown cinnamon, 52-59 mm.
  Petals: Cream.

Blooming: January.

Habit: Terrestrial.

Height: 30-40 cm.

Leaves: Ligulate laminae, 27-34 x 5-6 cm, green.

Habitat: Rain forests.

Distribution in the country: Volcán Rincón de la Vieja; 1,700-1,800 m.

Distribution in the world: Endemic.

Note: It differs from *Vriesea brunei* by its bracts and its clearly rugose sepals; it is separated from *Vriesea tonduziana* by its distichous inflorescence (not unilateral) and the bulbous bracts in a very colorful tip.

Vriesea barii

Vriesea barii

Inflorescencia: Simple.
  Escapo: Erecto, 18-21 cm.
  Brácteas: Verde canela en floración, luego marrón oscuro, 50-65 mm.
  Pétalos: Blancos con el borde morado.

Floración: De abril a mayo.

Hábito: Epífita.

Altura: 55-75 cm.

Hojas: Láminas liguladas, 39-65 x 3,5-5 cm, verdes a moradas.

Hábitat: Bosques muy húmedos.

Distribución en el país: Cordillera de Talamanca; 1.700-2.100 m.

Distribución mundial: Especie endémica.

Nota: Se distingue de *Vriesea macrantha* por el tamaño de sus brácteas e inflorescencia. Puede ser confundida con *Vriesea bicolor,* de la cual se diferencia por sus brácteas no unilaterales y rugosas. De *Vriesea gladioliflora* se separa por el color de sus brácteas y las cápsulas ocultas por las mismas.

Inflorescence: Simple.
  Scape: Erect, 18-21 cm.
  Bracts: Cinnamon green at flowering, then dark brown, 50-65 mm.
  Petals: White, with a purple edge.

Blooming: From April to May.

Habit: Epiphytic.

Height: 55-75 cm.

Leaves: Ligulate laminae, 39-65 x 3.5-5 cm, green to purple

Habitat: Rain forests.

Distribution in the country: Cordillera de Talamanca; 1.700-2,100 m.

Distribution in the world: Endemic.

Note: It differs from *Vriesea macrantha* by the size of its bracts and inflorescence. It may be mistaken with *Vriesea bicolor,* and differs from it by its non-unilateral, rugose bracts. It is separated from *Vriesea gladioliflora* by the color of its bracts and the capsules hidden by them.

Vriesea acuminata

Inflorescencia: Simple.
   Escapo: Erecto, 34-53 cm.
   Brácteas: Marrón oscuro, 18-60 mm.
   Pétalos: Blancos variegados con morado.

Floración: De julio a agosto.

Hábito: Epífita.

Altura: 45-55 cm.

Hojas: Láminas liguladas, 37-72 x 2,5-4,6 cm, verdes a variegadas con morado.

Hábitat: Bosques muy húmedos.

Distribución en el país: Cordillera de Talamanca, Tapantí, Cordillera de Guanacaste (Cerro Cacao); 1.300-2.300 m.

Distribución mundial: Costa Rica y Panamá.

Vriesea acuminata

Inflorescence: Simple.
   Scape: Erect, 34-53 cm.
   Bracts: Dark brown, 18-60 mm.
   Petals: White, variegated with purple.

Blooming: From July to August.

Habit: Epiphytic.

Height: 45-55 cm.

Leaves: Ligulate laminae, 37-72 x 2.5-4.6 cm, green to variegated with purple.

Habitat: Rain forests.

Distribution in the country: Cordillera de Talamanca, Tapantí, Cordillera de Guanacaste (Cerro Cacao); 1,300-2,300 m.

Distribution in the world: Costa Rica and Panama.

Anita H. Cooper
©1986 CR

Vriesea bicolor

Vriesea bicolor

Inflorescencia: Simple.
> *Escapo*: Erecto a curvado-erecto, 28-40 cm.
> *Brácteas*: Canela marrón a marrón oscuro, 45-63 mm.
> *Pétalos*: Blanco-crema.

Floración: De diciembre a mayo.

Hábito: Epífita.

Altura: 55-70 cm.

Hojas: Láminas liguladas, 22-77 x 3,5-9,5 cm, verdes a verde-morado.

Hábitat: Bosques muy húmedos.

Distribución en el país: Cordillera de Talamanca; 1.500-2.100 m.

Distribución mundial: Especie endémica.

Inflorescence: Simple.
> *Scape*: Erect to erect curved, 28-40 cm.
> *Bracts*: Brown cinnamon to dark brown, 45-63 mm.
> *Petals*: Creamy white.

Blooming: From December to May.

Habit: Epiphytic.

Height: 55-70 cm.

Leaves: Ligulate laminae, 22-77 x 3.5-9.5 cm, green to purple green.

Habitat: Rain forests.

Distribution in the country: Cordillera de Talamanca; 1,500-2,100 m.

Distribution in the world: Endemic.

Anita H. Cooper
© 1996 CR

Vriesea pittieri

Vriesea pittieri

Inflorescencia: Simple.
> *Escapo:* Curvado-erecto, 30-54 cm.
> *Brácteas:* Verde canela en floración, luego marrón oscuro; 26-39 mm.
> *Pétalos:* Verde claro.

Floración: De octubre a diciembre.

Hábito: Epífita.

Altura: 35-55 cm.

Hojas: Láminas liguladas, 28-72 x 2,5-3,5 cm, verdes a moradas.

Hábitat: Bosques muy húmedos.

Distribución en el país: Cordillera Central, Cerro de Escazú, Cordillera de Talamanca, Cordillera de Guanacaste (Cerro Cacao); 2.100-2.800 m.

Distribución mundial: Costa Rica y Panamá.

Inflorescence: Simple.
> *Scape:* Erect curved, 30-54 cm.
> *Bracts:* Cinnamon green at flowering, then dark brown, 26-39 mm.
> *Petals:* Light green.

Blooming: From October to December.

Habit: Epiphytic.

Height: 35-55 cm.

Leaves: Ligulate laminae, 28-72 x 2.5-3.5 cm, green to purple.

Habitat: Rain forests.

Distribution in the country: Cordillera Central, Cerros de Escazú, Cordillera de Talamanca, Cordillera de Guanacaste (Cerro Cacao); 2,100-2,800 m.

Distribution in the world: Costa Rica and Panama.

Anita W. Cooper
©1996 CR

Inflorescencia: Simple.
  Escapo: Erecto a curvado-erecto, 16,5-32,5 cm.
  Brácteas: Verde crema en floración, luego canela marrón, 30-50 mm.
  Pétalos: Verdes.

Floración: De abril a mayo.

Hábito: Epífita.

Altura: 20-30 cm.

Hojas: Láminas liguladas, 20-39 x 1,7-3,5 cm, verdes a verde-morado, con bandas moradas transversales, irregulares y gruesas.

Hábitat: Bosques muy húmedos.

Distribución en el país: Vertiente Atlántica y zona norte, incluyendo las faldas de las cordilleras; 0-1.300m.

Distribución mundial: De Belice a Panamá.

Nota: Se distingue fácilmente por las hojas con bandas moradas transversales, irregulares y gruesas, que se conservan aún después de secarse.

Inflorescence: Simple.
  Scape: Erect to erect-curved, 16.5-32.5 cm.
  Bracts: Creamy green at flowering, then brown cinnamon, 30-50 mm.
  Petals: Green.

Blooming: From April to May.

Habit: Epiphytic.

Height: 20-30 cm.

Leaves: Ligulate laminae, 20-39 x 1.7-3.5 cm, green to purple green, with transverse, purple, irregular and thick bands.

Habitat: Rain forests.

Distribution in the country: Vertiente Atlántica and the northern part of the country, including the mountain range slopes; 0-1300 m.

Distribution in the world: From Belize to Panama.

Note: It easily stands out for its irregular and thick leaves with transverse purple bands, which remain well-preserved even after drying off.

Anita H. Cooper
©1996 CR

Inflorescencia: Compuesta.
Escapo: Erecto a curvado-erecto, 29-61 cm.
Brácteas: Primarias rojas, moradas a variegadas; florales verdes, 5-12 mm.
Pétalos: Verde crema.

Floración: De marzo a agosto.

Hábito: Epífita.

Altura: 55-75 cm.

Hojas: Láminas liguladas, 30-62 x 3,5-5,5 cm, verdes.

Hábitat: Bosques muy húmedos.

Distribución en el país: Cordillera Central (Volcán Barva, Volcán Turrialba); 1.800-2.300 m.

Distribución mundial: Especie endémica.

Nota: Es muy similar a *V. ororiensis*, pero se reconoce por el color de sus sépalos.

Vriesea viridis

Inflorescence: Compound.
Scape: Erect to erect curved, 29-61 cm.
Bracts: Primary, red, purple to variegated; florals, green, 5-12 mm.
Petals: Creamy green.

Blooming: From March to August.

Habit: Epiphytic.

Height: 55-75 cm.

Leaves: Ligulate laminae, 30-62 x 3.5-5.5 cm, green.

Habitat: Rain forests.

Distribution in the country: Cordillera Central (Volcán Barva and Volcán Turrialba); 1,800-2,300 m.

Distribution in the world: Endemic.

Nota. Very similar to *V. ororiensis*, but can be distinguished by the color of its sepals.

Inflorescencia: Compuesta.
Escapo: Erecto, 47-73 cm.
Brácteas: Primarias verdes, más largas que los ramos laterales; florales verdes a verde crema, 0,6-1,4 cm.
Pétalos: Crema a verde crema.

Floración: De diciembre a febrero.

Hábito: Epífita.

Altura: 45-75 cm.

Hojas: Láminas liguladas, 47,5-69 x 4-8 cm, verdes.

Hábitat: Bosques muy húmedos, áreas alteradas, árboles en pastizales.

Distribución en el país: Cordillera Central (Cerro Chompipe, Cerro Zurquí), faldas del Volcán Turrialba, Cerros de Escazú, Cordillera de Talamanca; 1.500-2.300 m.

Distribución mundial: Especie endémica.

Inflorescence: Compound.
Scape: Erect, 47-73 cm.
Bracts: Primary, green, longer than the lateral clusters; florals, green to creamy green, 0.6-1.4 cm
Petals: Cream to creamy green.

Blooming: From December to February.

Habit: Epiphytic.

Height: 45-75 cm.

Leaves: Ligulate laminae, 47.5-69 x 4-8 cm, green.

Habitat: Rain forests, altered areas, trees in pastures.

Distribution in the country: Cordillera Central (Cerro Chompipe and Cerro Zurquí), Volcán Turrialba slopes, Cerros de Escazú, Cordillera de Talamanca; 1,500-2,300 m.

Distribution in the world: Endemic.

Inflorescencia: Compuesta.
Escapo: Erecto a curvado-erecto, 33-75 cm.
Brácteas: Primarias rojas, moradas, verdes a variegadas con morado; florales verdes, 8-18 mm.
Pétalos: Verde claro a verde crema.

Floración: De diciembre a agosto.

Hábito: Epífita o terrestre.

Altura: 50-75 cm.

Hojas: Láminas liguladas, 18-47 x 3-7 cm, verdes, moradas a variegadas con morado.

Hábitat: Bosques muy húmedos.

Distribución en el país: Cordillera Central, Cerros de Escazú, Cerros de Caraigres, Cordillera de Talamanca; 1.500-3.300 m.

Distribución mundial: Costa Rica y Panamá.

Nota: Es una de las especies más comunes en la Cordillera de Talamanca, donde forma poblaciones dominantes, sobre todo por encima de 2.500 m. Se observa fácilmente a lo largo de la Carretera Interamericana, siendo muy llamativa por lo atractivo de sus brácteas.

Inflorescence: Compound.
Scape: Erect to erect curved, 33-75 cm.
Bracts: Primary, red, purple, green to variegated with purple; florals, green, 8-18 mm.
Petals: Light green to creamy green.

Blooming: From December to August.

Habit: Epiphytic or terrestrial.

Height: 50-75 cm.

Leaves: Ligulate laminae, 18-47 x 3-7 cm, green, purple to variegated with purple.

Habitat: Rain forests.

Distribution in the country: Cordillera Central, Cerros de Escazú, Cerros de Caraigres, Cordillera de Talamanca; 1,500-3,300 m.

Distribution in the world: Costa Rica and Panama.

Note: One of the most common species in the Cordillera de Talamanca, where it forms dominant populations, especially above 2,500 m. It is easily seen along the Interamerican Highway, being very impressive for the attractive colors of its bracts.

Anita H. Cox
©1996 CR

Inflorescencia: Compuesta.
 Escapo: Erecto, 48-75 cm.
 Brácteas: Canela a verde cane-
 la, 14-19 mm.
 Pétalos: Blancos variegados
 con morado.

Floración: De marzo a agosto.

Hábito: Epífita o terrestre.

Altura: 40-65 cm.

Hojas: Láminas liguladas, 49-92 x
3,9-6,7 cm, verdes.

Hábitat: Bosques muy húmedos.

Distribución en el país: Cordillera
de Tilarán, cerca de San Ramón de
Alajuela, Cordillera Central (Depresión de La Palma entre el Volcán
Irazú y el Volcán Barva), Tapantí,
Cordillera de Talamanca, San Marcos de Tarrazú; 1.300-1.900 m.

Distribución mundial: Costa Rica
y Panamá.

Inflorescence: Compound.
 Scape: Erect, 48-75 cm.
 Bracts: Cinnamon to cinna-
 mon green, 14-19 mm.
 Petals: White, variegated with
 purple.

Blooming: From March to August.

Habit: Epiphytic or terrestrial.

Height: 40-65 cm.

Leaves: Ligulate laminae, 49-92 x
3.9-6.7 cm, green.

Habitat: Rain forests.

Distribution in the country:
Cordillera de Tilarán, near San
Ramón de Alajuela, Cordillera
Central (Depresión de La Palma be-
tween Volcán Irazú and Volcán
Barva), Tapantí, Cordillera de
Talamanca, San Marcos de Tarrazú;
1,300-1,900 m.

Distribution in the world: Costa
Rica and Panama.

Anita H. Cooper
©1996 CR

Vriesea williamsii

Vriesea williamsii

Inflorescencia: Compuesta.
> *Escapo*: Curvado-erecto, 30-98 cm.
> *Brácteas*: Primarias verdes, moradas a verde crema con líneas rojizas a oscuras a lo largo, 6-13 mm.
> *Pétalos*: Verde crema.

Floración: De marzo a octubre.

Hábito: Epífita o terrestre.

Altura: 34-70(90) cm.

Hojas: Láminas liguladas, 24-40 x 1,4-3,5 cm, verdes a moradas, con líneas longitudinales rojizas a oscuras.

Hábitat: Bosques muy húmedos.

Distribución en el país: Cordillera Central, Cerros de Escazú, Cordillera de Talamanca; 1.900-2.800 m.

Distribución mundial: Costa Rica y Panamá.

Inflorescence: Compound.
> *Scape*: Erect curved, 30-98 cm.
> *Bracts*: Primary, green, purple to creamy green with longitudinal reddish to dark lines, 6-13 mm.
> *Petals*: Creamy green.

Blooming: From March to October.

Habit: Epiphytic or terrestrial.

Height: 34-70(90) cm.

Leaves: Ligulate laminae, 24-40 x 1.4-3.5 cm, green to purple, with longitudinal reddish to dark lines.

Habitat: Rain forests.

Distribution in the country: Cordillera Central, Cerros de Escazú, Cordillera de Talamanca; 1,900-2,800 m.

Distribution in the world: Costa Rica and Panama.

Anita H. Cooper
©1996 CR

Inflorescencia: Compuesta.
    Escapo: Erecto a curvado-erecto, 48-62 cm.
    Brácteas: Rojas a verdes, variegadas con rojo, 15-17 mm.
    Pétalos: Crema.

Floración: Mayo.

Hábito: Epífita o terrestre.

Altura: 60-80 cm.

Hojas: Láminas liguladas, 33-43 x 3,5-4 cm, verdes a moradas, con líneas transversales ondulantes.

Hábitat: Bosques muy húmedos.

Distribución en el país: Cordillera de Talamanca (El Empalme); 2.000-3.100 m.

Distribución mundial: Especie endémica.

Vriesea luis-gomezii

Inflorescence: Compound.
    Scape: Erect to erect curved, 48-62 cm.
    Bracts: Red to green, variegated with red, 15-17 mm.
    Petals: Cream.

Blooming: May.

Habit: Epiphytic or terrestrial.

Height: 60-80 cm.

Leaves: Ligulate laminae, 33-43 x 3.5-4 cm, green to purple, with undulate transverse lines.

Habitat: Rain forests.

Distribution in the country: Cordillera de Talamanca (El Empalme); 2,000-3,100 m.

Distribution in the world: Endemic.

Inflorescencia: Simple.
  Escapo: Erecto, 16-18 cm.
  Brácteas: Verde crema en floración, luego canela marrón, 30-50 mm.
  Pétalos: Verde crema.

Floración: Mayo.

Hábito: Epífita.

Altura: 15-23 cm.

Hojas: Láminas liguladas, 20-22 x 1,5-2 cm, verdes.

Hábitat: Bosques muy húmedos.

Distribución en el país: Depresión de La Palma entre el Volcán Irazú y el Volcán Barva, Cariblanco; 1.500 m.

Distribución mundial: Especie endémica.

Nota: Esta especie se conocía sólo por un especimen recolectado hace más de 100 años en La Palma, cerca del Bajo de La Hondura, área en la cual no ha vuelto a ser localizada a pesar de grandes esfuerzos. La recolección de Cariblanco representa la primera población ubicada posteriormente.

Inflorescence: Simple.
  Scape: Erect, 16-18 cm.
  Bracts: Creamy green at flowering, then brown cinnamon, 30-50 mm.
  Petals: Creamy green.

Blooming: May.

Habit: Epiphytic.

Height: 15-23 cm.

Leaves: Ligulate laminae, 20-22 x 1.5-2 cm, green.

Habitat: Rain forests.

Distribution in the country: Depresión de La Palma between Volcán Irazú and Volcán Barva, Cariblanco; 1,500 m.

Distribution in the world: Endemic.

Note: This species was long known only from one specimen collected over a 100 years ago at La Palma, near Bajo de La Hondura, where, despite much effort, it has not been found again. The species was only recently rediscovered near Cariblanco.

Inflorescencia: Compuesta.
    Escapo: Erecto a curvado-erecto, 14-71 cm.
    Brácteas: Verdes a verde crema, 22-39 mm.
    Pétalos: Crema.

Floración: De febrero a agosto.

Hábito: Epífita o terrestre.

Altura: 21-65 cm.

Hojas: Láminas liguladas, 16-42 x 1,7-3,6 cm, verdes, con líneas oscuras transversales y ondulantes hacia la base.

Hábitat: Bosques muy húmedos.

Distribución en el país: Cordillera de Tilarán, Los Angeles de San Ramón de Alajuela, Cariblanco, faldas de la Cordillera Central (Alto de La Palma entre el Volcán Irazú y el Volcán Barva), Parque Nacional Tapantí y sus alrededores, Cerros del Tablazo, Cordillera de Talamanca, Fajas Costeñas de Tarrazú; 700-1.850 m.

Distribución mundial: México a Colombia, Venezuela.

Inflorescence: Compound.
    Scape: Erect to erect curved, 14-71 cm.
    Bracts: Green to creamy green, 22-39 mm.
    Petals: Cream.

Blooming: From February to August.

Habit: Epiphytic or terrestrial.

Height: 21-65 cm.

Leaves: Ligulate laminae, 16-42 x 1.7-3.6 cm, green, with transverse dark and undulate lines towards the base.

Habitat: Rain forests.

Distribution in the country: Cordillera de Tilarán, Los Angeles de San Ramón de Alajuela, Cariblanco, Cordillera Central slopes (Alto de La Palma between Volcán Irazú and Volcán Barva), Parque Nacional Tapantí and its surroundings, Cerros del Tablazo, Cordillera de Talamanca, Tarrazú coastal strips; 700-1,850 m.

Distribution in the world: From Mexico to Colombia, Venezuela.

Guzmania
donnell-smithii

Guzmania
donnell-smithii

Inflorescencia: Compuesta.
   Escapo: Erecto, 15-38 cm.
   Brácteas: Primarias rojizas; florales verde rojizo a crema, 8-11 mm.
   Pétalos: Amarillos.

Floración: De setiembre a marzo.

Hábito: Epífita.

Altura: 21-33 cm.

Hojas: Láminas liguladas, 21-41 x 1,4-2,5 cm, verdes.

Hábitat: Bosques muy húmedos.

Distribución en el país: Cordillera de Guanacaste, Cordillera de Tilarán, Cordillera Central, Cordillera de Talamanca; 400-1.000 m.

Distribución mundial: De Nicaragua a Panamá.

Inflorescence: Compound.
   Scape: Erect, 15-38 cm.
   Bracts: Primary, reddish; florals, reddish green to cream, 8-11 mm.
   Petals: Yellow.

Blooming: From September to March.

Habit: Epiphytic.

Height: 21-33 cm.

Leaves: Ligulate laminae, 21-41 x 1.4-2.5 cm, green.

Habitat: Rain forests.

Distribution in the country: Cordillera de Guanacaste, Cordillera de Tilarán, Cordillera Central, Cordillera de Talamanca; 400-1,000 m.

Distribution in the world: From Nicaragua to Panama.

Guzmania scandens

Guzmania scandens

Inflorescencia: Simple.
    Escapo: Erecto, 29-53 cm.
    Brácteas: Rosadas, rojizas a verde rojizo, 27-49 mm.
    Pétalos: Amarillos.

Floración: De marzo a noviembre.

Hábito: Epífita.

Altura: 35-50 cm.

Hojas: Láminas lineales, 59-93 cm, verdes, plegadas.

Hábitat: Bosques muy húmedos.

Distribución en el país: Cordillera de Guanacaste, Cordillera de Tilarán, Cordillera Central (Volcán Barva, Falda Atlántica), Parque Nacional Tapantí; 850-1.700 m.

Distribución mundial: Especie endémica.

Inflorescence: Simple.
    Scape: Erect, 29-53 cm.
    Bracts: Pink, reddish to reddish green, 27-49 mm.
    Petals: Yellow.

Blooming: From March to November.

Habit: Epiphytic.

Height: 35-50 cm.

Leaves: Linear laminae, 59-93 cm, green, folded.

Habitat: Rain forests.

Distribution in the country: Cordillera de Guanacaste, Cordillera de Tilarán, Cordillera Central (Volcán Barva, Atlantic slope), Parque Nacional Tapantí; 850-1,700 m.

Distribution in the world: Endemic.

Anita W. Cooper
©1996 CR

Inflorescencia: Simple.
　　Escapo: Erecto, 28-36 cm.
　　Brácteas: Rojas, rojo-anaranja-
　　do a amarillas, 30-45 mm.
　　Pétalos: Amarillos.

Floración: De junio a setiembre.

Hábito: Epífita.

Altura: 28-40 cm.

Hojas: Láminas lineales, 20-44 cm,
verdes con líneas longitudinales oscuras.

Hábitat: Bosques muy húmedos.

Distribución en el país: Cordillera
de Tilarán, Cordillera Central (Falda Atlántica), Cordillera de Talamanca; 700-1.100 m.

Distribución mundial: De Costa
Rica a Colombia.

Inflorescence: Simple.
　　Scape: Erect, 28-36 cm.
　　Bracts: Red, orange-red to
　　yellow, 30-45 mm.
　　Petals: Yellow.

Blooming: From June to
September.

Habit: Epiphytic.

Height: 28-40 cm.

Leaves: Linear laminae, 20-44 cm,
green with dark, longitudinal lines.

Habitat: Rain forests.

Distribution in the country:
Cordillera de Tilarán, Cordillera
Central (Atlantic slope), Cordillera
de Talamanca; 700-1,100 m.

Distribution in the world: From
Costa Rica to Colombia.

Anita W. Cooper
©1996 CR.

Inflorescencia: Simple.
Escapo: Erecto, 60-93 cm.
Brácteas: Rojizas, crema a verde crema, 20-32 mm.
Pétalos: Anaranjados.

Floración: De enero a julio.

Hábito: Epífita o terrestre.

Altura: 1-1,5 cm.

Hojas: Láminas pecioladas, 60-110 x 4-10,5 cm, verdes.

Hábitat: Bosques húmedos.

Distribución en el país: Cordillera de Guanacaste, Cordillera de Tilarán, San Ramón de Alajuela, Cordillera Central, Tapantí, Valle del Reventazón, Cordillera de Talamanca, Cerros de Tarrazú; (100) 700-1.900 m.

Distribución mundial: De Nicaragua a Bolivia y Perú.

Inflorescence: Simple.
Scape: Erect, 60-93 cm
Bracts: Reddish, cream to creamy green, 20-32 mm.
Petals: Orange.

Blooming: From January to July.

Habit: Epiphytic or terrestrial.

Height: 1-1.5 cm.

Leaves: Petiolate laminae, 60-110 x 4-10.5 cm, green.

Habitat: Rain forests.

Distribution in the country: Cordillera de Guanacaste, Cordillera de Tilarán, San Ramón de Alajuela, Cordillera Central, Tapantí, Valle del Reventazón, Cordillera de Talamanca, Cerros de Tarrazú; (100) 700-1,900 m.

Distribution in the world: From Nicaragua to Bolivia and Peru.

Anita W. Cooper
©1998 CR

Inflorescencia: Simple.
    Escapo: Erecto, 125-218 cm.
    Brácteas: Verde claro a amarillo claro, 15-26 mm.
    Pétalos: Rojos a rojo-rosado.

Floración: De febrero a julio.

Hábito: Terrestre.

Altura: 1,5-2,2 cm.

Hojas: Láminas dimorfas; externas espiniformes, internas 120-215 x 3,2-5,5 cm, verdes, pecioladas, serradas cerca del pecíolo.

Hábitat: Bosques muy húmedos.

Distribución en el país: Cordillera de Tilarán, San Ramón, Tapantí, Valle del Reventazón, Limón (Fila Matama); 1.200-1.500 m.

Distribución mundial: De Costa Rica a Colombia.

Inflorescence: Simple.
    Scape: Erect, 125-218 cm.
    Bracts: Light green to light yellow, 15-26 mm.
    Petals: Red to pink red.

Blooming: From February to July.

Habit: Terrestrial.

Height: 1.5-2.2 cm.

Leaves: dimorphous laminae; external spiniform, internal 120-215 x 3.2-5.5 cm, green, petiolate, serrate near the petiole.

Habitat: Rain forests.

Distribution in the country: Cordillera de Tilarán, San Ramón, Tapantí, Valle del Reventazón, Limón (Fila Matama); 1,200-1,500 m.

Distribution in the world: From Costa Rica to Colombia.

Anita H. Cooper
©1996 CR

Inflorescencia: Simple.
> *Escapo*: Erecto a curvado-erecto, 16-22 cm.
> *Brácteas*: Verdes a canela, 147-22 mm.
> *Pétalos*: Verde crema.

Floración: De enero a marzo.

Hábito: Epífita.

Altura: 17-25 cm.

Hojas: Láminas liguladas, 8-21 x 1,3-2,6 cm, con líneas longitudinales moradas.

Hábitat: Bosques muy húmedos.

Distribución en el país: Reserva Forestal San Ramón, Pacífico Sur (desde las fajas costeñas de Acosta y Quepos hasta la Península de Osa y Golfito); 150-1.100 m.

Distribución mundial: De Costa Rica a Panamá.

Nota: Esta especie es sumamente escasa y rara vez es recolectada, principalmente por el tamaño de la planta y lo poco llamativo de su inflorescencia.

Inflorescence: Simple.
> *Scape*: Erect to erect curved, 16-22 cm.
> *Bracts*: Green to cinnamon, 147-22 mm.
> *Petals*: Creamy green.

Blooming: From January to March.

Habit: Epiphytic.

Height: 17-25 cm.

Leaves: Ligulate laminae, 8-21 x 1.3-2.6 cm, with purple longitudinal lines.

Habitat: Rain forests.

Distribution in the country: Reserva Forestal San Ramón, south Pacific (from the coastal strips of Acosta and Quepos to the Península de Osa and Golfito); 150-1,100 m.

Distribution in the world: From Costa Rica to Panama.

Note: This species is very scarce and is rarely collected, especially due to its small size and insconspicuous inflorescence.

Aechmea nudicaulis

Aechmea nudicaulis

Inflorescencia: Simple.
Escapo: Erecto, 23-50 cm.
Brácteas: Rojizas.
Pétalos: Amarillos.

Floración: De diciembre a febrero.

Hábito: Epífita.

Altura: 22-55 cm.

Hojas: Láminas liguladas, 11-41 x 2,5-6,5 cm, verdes, con el borde serrado.

Hábitat: Bosques muy húmedos.

Distribución en el país: Vertiente Atlántica de las cordilleras de Guanacaste y Tilarán, zona norte, Vertiente Atlántica (incluyendo las faldas de la Cordillera de Talamanca); 0-1.200 m.

Distribución mundial: Del norte de México al noroeste de América del Sur, las Antillas.

Nota: Es una de las especies más comunes en Limón y Sarapiquí, donde es fácilmente reconocible por sus brácteas rojizas.

Inflorescence: Simple.
Scape: Erect, 23-50 cm.
Bracts: Reddish.
Petals: Yellow.

Blooming: From December to February.

Habit: Epiphytic.

Height: 22-55 cm.

Leaves: Ligulate laminae, 11-41 x 2.5-6.5 cm, green, with a serrate edge.

Habitat: Rain forests.

Distribution in the country: Atlantic slope of the Cordillera de Guanacaste and Cordillera de Tilarán, the northern part of the country, Vertiente Atlántica (including the Cordillera de Talamanca slope); 0-1,200 m.

Distribution in the world: From the northern part of Mexico to the northwestern part of South America, the West Indies.

Note: One of the most common species in Limón and Sarapiquí, where it is easily recognized for its reddish bracts.

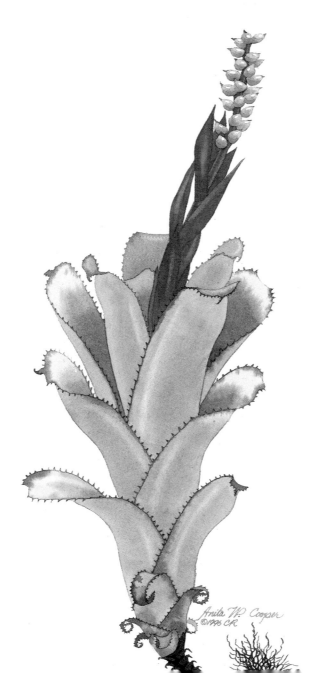

Tillandsia bulbosa

Tillandsia bulbosa

Inflorescencia: Digitada a compuesta.
>*Escapo*: Erecto, 3-12,5 cm.
>*Brácteas*: Rojas a verde rojizo, 11-16 mm.
>*Pétalos*: Lila a amarillo crema.

Floración: De febrero a junio.

Hábito: Epífita.

Altura: 10-16 cm.

Hojas: Láminas triangulares, 5-27,5 x 0,2-0,7 cm, verdes a moradas.

Hábitat: Bosques muy húmedos.

Distribución en el país: Zona norte y Atlántica, Cordillera de Guanacaste, Cordillera de Tilarán, Cordillera de Talamanca (Faldas Atlánticas), Pacífico Central (Carara) hasta la Península de Osa, incluyendo las fajas costeñas; 0-1.100 m.

Distribución mundial: De México a Ecuador, norte de Brasil, las Antillas.

Nota: Esta especie presenta una interesante simbiosis con las hormigas, las cuales ubican sus nidos en las bases de sus hojas, donde se forman cavidades que son utilizadas por ellas.

Inflorescence: Digitate to compound.
>*Scape*: Erect, 3-12.5 cm.
>*Bracts*: Red to reddish green, 11-16 mm.
>*Petals*: Lilac to creamy yellow.

Blooming: From February to June.

Habit: Epiphytic.

Height: 10-16 cm.

Leaves: Triangular laminae, 5-27.5 x 0.2-0.7 cm, green to purple.

Habitat: Rain forests.

Distribution in the country: Northern part of the country and Atlantic slope, Cordillera de Guanacaste, Cordillera de Tilarán, Cordillera de Talamanca (Atlantic slope), central Pacific (Carara) down to the Península de Osa, including the coastal strips; 0-1,100 m.

Distribution in the world: From Mexico to Ecuador, northern part of Brazil, the West Indies.

Note: This species presents an interesting symbiosis with ants, which locate their nests in the base of its leaves, occupying the spaces among their bulbous bases.

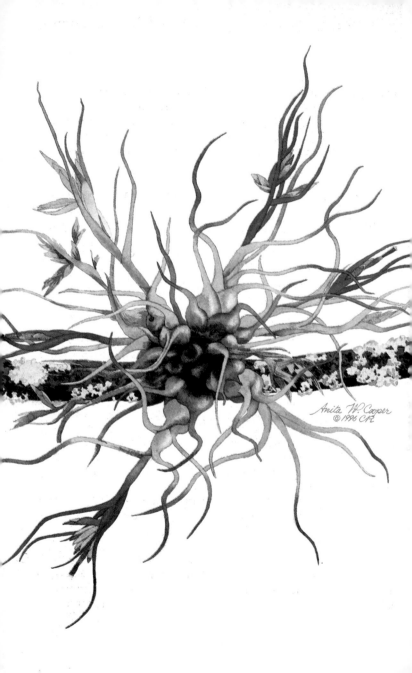

Inflorescencia: Simple.
    Escapo: Erecto, 4-14 cm
    Brácteas: Rojizas a verde rojizo, 1,5-3(3,6) cm.
    Pétalos: Verde crema a amarillo crema.

Floración: De febrero a mayo.

Hábito: Epífita.

Altura: 10-20 cm.

Hojas: Láminas triangulares a filiformes, 9-35,5 x 0,2-0,7 cm, grisáceas a plateadas.

Hábitat: Bosques secos deciduos, bosques semideciduos y bosques húmedos, áreas alteradas, árboles en pastizales.

Distribución en el país: Guanacaste (incluyendo las faldas de las cordilleras), Pacífico Central, Valle del Tárcoles, Valle Central, Puriscal, Acosta, Valle del Candelaria, Cartago y Turrialba; 0-1.500 m.

Distribución mundial: De México a Colombia, Venezuela, las Antillas.

Nota: Especie común en el Valle Central, donde se puede observar creciendo sobre cables de electricidad y árboles en parques y jardines.

Inflorescence: Simple.
    Scape: Erect, 4-14 cm.
    Bracts: Reddish to reddish green, 1.5-3(3.6) cm.
    Petals: Creamy green to creamy yellow.

Blooming: From February to May.

Habit: Epiphytic.

Height: 10-20 cm.

Leaves: Triangular to filiform laminae, 9-35.5 x 0.2-0.7 cm, grayish to silvery.

Habitat: dry deciduous forests, semideciduous forests, rain forests, altered areas, trees in pastures.

Distribution in the country: Guanacaste (including the mountain range slopes), Central Pacific, Valle del Tárcoles, Valle Central, Puriscal, Acosta, Valle del Candelaria, Cartago and Turrialba; 0-1,500 m.

Distribution in the world: From Mexico to Colombia, Venezuela, the West Indies.

Note: A common species in the Valle Central, where it is possible to see it growing on electrical wires, and trees in parks and gardens.

Inflorescencia: Compuesta.
  Escapo: Erecto, 12-27 cm.
  Brácteas: Verde a verde canela, 4-9 mm.
  Pétalos: Amarillos a blanco crema.

Floración: De marzo a agosto.

Hábito: Epífita.

Altura: 18-32 cm.

Hojas: Láminas liguladas, 12-39 x 1,1-2,9 cm, verdes a moradas.

Hábitat: Bosques muy húmedos.

Distribución en el país: Cordillera de Tilarán, Cordillera Central, Parque Nacional Tapantí y sus alrededores, Cerros de Escazú, Cerros del Tablazo, Cordillera de Talamanca y sus estribaciones; 600-2.000 m.

Distribución mundial: De México al norte de Brasil, República Dominicana.

Inflorescence: Compound.
  Scape: Erect, 12-27 cm.
  Bracts: Green to cinnamon green, 4-9 mm.
  Petals: Yellow to creamy white.

Blooming: From March to August.

Habit: Epiphytic.

Height: 18-32 cm.

Leaves: Ligulate laminae, 12-39 x 1.1-2.9 cm, green to purple.

Habitat: Rain forests.

Distribution in the country: Cordillera de Tilarán, Cordillera Central, Parque Nacional Tapantí and surroundings, Cerros de Escazú, Cerros del Tablazo, Cordillera de Talamanca and its spurs; 600-2,000 m.

Distribution in the world: From Mexico to N. Brazil, Dominican Republic.

Inflorescencia: Ramificada.
    Escapo: Erecto, 1-13,5 cm.
    Brácteas: Verdes, 0,4-0,5 cm.
    Pétalos: Blancos a amarillo crema.

Floración: De junio a julio.

Hábito: Epífita.

Altura: 12-21 cm.

Hojas: Láminas triangulares, 9-23(26) x 0,5-1 cm, verdes a verde-morado, los bordes usualmente ondulados y crispados.

Hábitat: Bosques húmedos.

Distribución en el país: Cordillera de Guanacaste (Volcán Cacao), falda Atlántica de la Cordillera Central, Cordillera de Talamanca; 500-700 m.

Distribución mundial: De Nicaragua a Panamá.

Nota: Dentro del género *Racinaea*, esa especie se reconoce fácilmente por sus hojas de bordes ondulados y crispados.

Inflorescence: Branched.
    Scape: Erect, 1-13.5 cm.
    Bracts: Green, 0.4-0.5 cm
    Petals: Whites to creamy yellow

Blooming: From June to July.

Habit: Epiphytic.

Height: 12-21 cm.

Leaves: Triangular laminae, 9-23(26) x 0.5-1 cm, green to purple green, edges are usually undulate and rosette-shaped.

Habitat: Rain forests.

Distribution in the country: Cordillera de Guanacaste (Volcán Cacao), Atlantic slope of the Cordillera Central, Cordillera de Talamanca; 500-700 m.

Distribution in the world: From Nicaragua to Panama.

Note: Within the genus *Racinaea*, this species is easily recognized by the undulate and curled leaf edges.

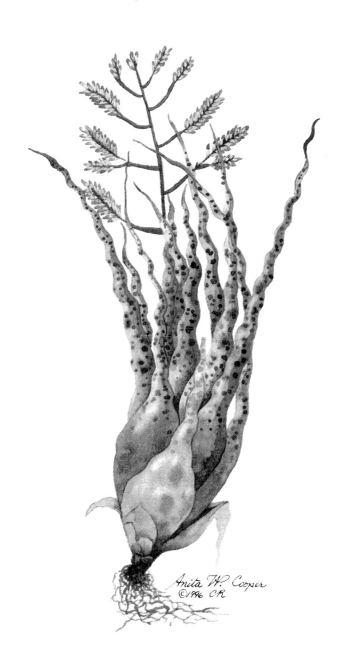

Anita W. Cooper
©1996 CR

Inflorescencia: Simple a raramente compuesta.

> *Escapo:* Erecto, 38-52 cm.
> *Brácteas:* Verdes en floración, luego canela marrón, 12-16 mm.
> *Pétalos:* Blancos.

Floración: De junio a setiembre.

Hábito: Epífita.

Altura: 25-55 cm.

Hojas: Láminas liguladas, 22-45 x 1,2-2,1 cm, verdes.

Hábitat: Bosques muy húmedos.

Distribución en el país: Cordillera de Tilarán, falda Atlántica de la Cordillera Central (Cerro Congo, Laguna Hule), Valle del Reventazón; 850-1.600 m.

Distribución mundial: De Costa Rica a Colombia, Venezuela y Ecuador.

Inflorescence: Simple to rarely compound.

> *Scape:* Erect, 38-52 cm.
> *Bracts:* Green at flowering, then brown cinnamon, 12-16 mm.
> *Petals:* White.

Blooming: From June to September.

Habit: Epiphytic.

Height: 25-55 cm.

Leaves: Ligulate laminae, 22-45 x 1.2-2.1 cm, green.

Habitat: Rain forests.

Distribution in the country: Cordillera de Tilarán, Atlantic slope of the Cordillera Central (Cerro Congo, Laguna Hule), Valle del Reventazón; 850-1,600 m.

Distribution in the world: From Costa Rica to Colombia, Venezuela and Ecuador.

Anita W Cooper
©1996 CR

Tillandsia variabilis

Tillandsia variabilis

Inflorescencia: Simple, digitada a aglomerada.
>**Escapo:** Erecto, 11-26 cm.
>**Brácteas:** Verde grisáceo, 1,5-2,8 cm.
>**Pétalos:** Morados a azul-lila.

Floración: De enero a marzo, agosto.

Hábito: Epífita.

Altura: 15-25 cm.

Hojas: Láminas triangulares, 21-37,5 x 1-2,1 cm, morado grisáceo a verde grisáceo.

Hábitat: Bosques húmedos, áreas alteradas, árboles en potreros.

Distribución en el país: San Ramón (Bajo Rodríguez), Cartago, Turrialba; 600-1.200 m.

Distribución mundial: De Florida a Panamá, Venezuela, Bolivia, las Antillas.

Inflorescence: Simple, digitate to agglomerate.
>**Scape:** Erect, 11-26 cm.
>**Bracts:** Grayish green, 1.5-2.8 cm.
>**Petals:** Purple to lilac-blue.

Blooming: From January to March, August.

Habit: Epiphytic.

Height: 15-25 cm.

Leaves: Triangular laminae, 21-37.5 x 1-2.1 cm, grayish purple to grayish green.

Habitat: Rain forests, altered areas, trees in grasslands.

Distribution in the country: San Ramón (Bajo Rodríguez), Cartago, Turrialba; 600-1,200 m.

Distribution in the world: From Florida to Panama, Venezuela, Bolivia, the West Indies.

Anita W. Cooper
©1998 CR

Inflorescencia: Compuesta.
Escapo: Erecto, 9-24,5 cm.
Brácteas: Primarias rojizas a verdes; florales rojizas, verde rojizo variegadas con morado.
Pétalos: Morado oscuro.

Floración: De noviembre a marzo.

Hábito: Epífita.

Altura: 15-40 cm.

Hojas: Láminas liguladas, 11-32,5 x 1,3-2,6 cm, verdes, usualmente variegadas con morado hacia el ápice.

Hábitat: Bosques muy húmedos, árboles en potreros.

Distribución en el país: Cordillera de Guanacaste y Cordillera de Tilarán, Cordillera Central, Valle del Reventazón, Cordillera de Talamanca y sus estribaciones, Cerros del Tablazo, Fila Bustamante (Sabanas de Acosta), Península de Osa; 200-1.900 m.

Distribución mundial: De México a Panamá.

Inflorescence: Compound.
Scape: Erect, 9-24.5 cm.
Bracts: Primary, reddish to green; floral reddish to reddish green variegated with purple.
Petals: Dark purple.

Blooming: From November to March.

Habit: Epiphytic.

Height: 15-40 cm.

Leaves: Ligulate laminae, 11-32.5 x 1.3-2.6 cm, green, usually variegated with purple towards the apex.

Habitat: Rain forests, trees in grasslands.

Distribution in the country: Cordillera de Guanacaste, Cordillera de Tilarán, Cordillera Central, Valle del Reventazón, Cordillera de Talamanca and its spurs, Cerros del Tablazo, Fila Bustamante (Sabanas de Acosta), Península de Osa; 200-1,900 m.

Distribution in the world: From Mexico to Panama.

Tillandsia excelsa

Tillandsia excelsa

Inflorescencia: Ramificada.
   Escapo: Erecto, 12-26 cm.
   Brácteas: Rojas o anaranjadas a verdes.
   Pétalos: Lila a morado lila.

Floración: De noviembre a marzo.

Hábito: Epífita.

Altura: 35-65 cm.

Hojas: Láminas liguladas, 20-43,5(46) x 2-4,8 cm, verdes y variegadas con morado hacia la punta.

Hábitat: Bosques muy húmedos, árboles de potrero.

Distribución en el país: Cordillera de Tilarán, San Ramón de Alajuela, Cordillera Central, Valle del Reventazón, Cordillera de Talamanca y sus estribaciones, Cerros del Tablazo, Fila Bustamante, (Tiquires, Sabanas de Acosta), Cerros de Turrubares, Cerros de Escazú, Península de Osa; (200) 700-2.100 m.

Distribución mundial: De Belice a Panamá, las Antillas.

Nota: Esta especie ha sido ampliamente explotada para la decoración de portales navideños, lo cual ha mermado sustancialmente las poblaciones naturales en las áreas cercanas al Valle Central.

Inflorescence: Branched.
   Scape: Erect, 12-26 cm.
   Bracts: Red or orange to green.
   Petals: Lilac to lilac purple.

Blooming: From November to March.

Habit: Epiphytic.

Height: 35-65 cm.

Leaves: Ligulate laminae, 20-43.5(46) x 2-4.8 cm, green and variegated with purple towards the tip.

Habitat: Rain forests, trees in grassland.

Distribution in the country: Cordillera de Tilarán, San Ramón de Alajuela, Cordillera Central, Valle del Reventazón, Cordillera de Talamanca and its spurs, Cerros del Tablazo, Fila Bustamante, (Tiquires, Sabanas de Acosta), Cerros de Turrubares, Cerros de Escazú, Península de Osa; (200) 700-2,100 m.

Distribution in the world: From Belize to Panama, the West Indies.

Note: This species has been widely exploited for Christmas decorations, substantially decreasing the natural populations in the areas near the Valle Central.

Inflorescencia: Compuesta.
Escapo: Erecto, 12,5-41 cm.
Brácteas: Amarillo crema, rojizas, anaranjadas a amarillas, 3-5 cm.
Pétalos: Lila.

Floración: De noviembre a mayo.

Hábito: Epífita.

Altura: 20-50 cm.

Hojas: Láminas triangulares, 20-50 x 1,6-2,9 cm, verdes a verde grisáceo.

Hábitat: Bosques húmedos y estacionalmente secos.

Distribución en el país: Cordillera de Guanacaste, Cordillera de Tilarán, zona norte (Los Chiles), Valle Central y del Río Tárcoles, Cerros de Escazú, Cerros de Puriscal, Fila Bustamante, Cordillera de Talamanca; 50-1.600 m.

Distribución mundial: De Florida a Colombia, Brasil, las Antillas.

Nota: Esta especie es ampliamente utilizada para la decoración de portales navideños y la confección de arreglos florales en miniatura. Es una de las *Tillandsias* más comunes en el Valle Central.

Inflorescence: Compound.
Scape: Erect, 12.5-41 cm.
Bracts: Creamy yellow, reddish, orange to yellow, 3-5 cm.
Petals: Lilac.

Blooming: From November to May.

Habit: Epiphytic.

Height: 20-50 cm.

Leaves: Triangular laminae, 20-50 x 1.6-2.9 cm, green to grayish green.

Habitat: Rain forests, seasonally dry forests.

Distribution in the country: Cordillera de Guanacaste, Cordillera de Tilarán, the northern part of the country (Los Chiles), Valle Central and Valle del Río Tárcoles, Cerros de Escazú, Cerros de Puriscal, Fila Bustamante, Cordillera de Talamanca; 50-1,600 m.

Distribution in the world: From Florida to Colombia, Brazil, the West Indies.

Note: It has been widely exploited for Christmas decorations and the manufacture of small floral arrangements. It is one of the most common Tillandsias in the Valle Central.

Inflorescencia: Compuesta.
　　Escapo: Erecto, 53-89 cm.
　　Brácteas: Rojizas, anaranjado-amarillo a canela marrón, 18-30 mm.
　　Pétalos: Amarillos.

Floración: De febrero a agosto.

Hábito: Epífita o terrestre.

Altura: 60-100 cm.

Hojas: Láminas liguladas, 92-156 x 1,1-2,1 cm, verdes, claramente plegadas.

Hábitat: Bosques muy húmedos.

Distribución en el país: Cordillera de Guanacaste (sector Atlántico), Cordillera de Tilarán, Parque Nacional Tapantí, Cordillera de Talamanca; 700-1.700 m.

Distribución mundial: De Costa Rica a Panamá.

Inflorescence: Compound.
　　Scape: Erect, 53-89 cm.
　　Bracts: Reddish, yellow-orange to brown cinnamon, 18-30 mm.
　　Petals: Yellow.

Blooming: From February to August.

Habit: Epiphytic or terrestrial.

Height: 60-100 cm.

Leaves: Ligulate laminae, 92-156 x 1.1-2.1 cm, green, clearly folded.

Habitat: Rain forests.

Distribution in the country: Cordillera de Guanacaste (Atlantic sector), Cordillera de Tilarán, Parque Nacional Tapantí, Cordillera de Talamanca; 700-1,700 m.

Distribution in the world: Costa Rica to Panama.

Anita W. Cooper
© 1996 CR.

Inflorescencia: Compuesta.
Escapo: Erecto, 35-53 cm.
Brácteas: Anaranjadas, verde-anaranjado a amarillas, 16-19 mm.
Pétalos: Amarillos, verdes en la punta.

Floración: De febrero a setiembre.

Hábito: Epífita o terrestre.

Altura: 45-70 cm.

Hojas: Láminas liguladas, 31-72 x 4-5,5 cm, verdes.

Hábitat: Bosques muy húmedos.

Distribución en el país: Cordillera de Guanacaste, (sector Atlántico), Cordillera de Tilarán, faldas de la Cordillera Central (sector Atlántico), Parque Nacional Tapantí, filas costeras de Tarrazú, Golfito; 100-1.500 m.

Distribución mundial: De Belice a Colombia, Ecuador.

Inflorescence: Compound.
Scape: Erect, 35-53 cm.
Bracts: Orange, orange-green to yellow, 16-19 mm.
Petals: Yellow, green in the tip.

Blooming: From February to September.

Habit: Epiphytic or terrestrial.

Height: 45-70 cm.

Leaves: Ligulate laminae, 31-72 x 4-5.5 cm, green.

Habitat: Rain forests.

Distribution in the country: Cordillera de Guanacaste (Atlantic sector), Cordillera de Tilarán, Cordillera Central slope (Atlantic sector), Parque Nacional Tapantí, Tarrazú coastal ranges, Golfito; 100-1,500 m.

Distribution in the world: From Belize to Colombia, Ecuador.

Catopsis nitida

Catopsis nitida

Inflorescencia: Compuesta.
    Escapo: Erecto, hasta 25 cm.
    Brácteas: Verdes, 3-4 mm.
    Pétalos: Blancos.

Floración: De junio a agosto.

Hábito: Epífita o terrestre.

Altura: 16-29 cm.

Hojas: Láminas liguladas, 22-40 x 2-4,9 cm, verdes.

Hábitat: Bosques húmedos de altura.

Distribución en el país: Cordillera de Tilarán, Cordillera Central, Cerros de Escazú, El Tablazo y La Carpintera, Cerros de Caraigres, Fila Aguabuena (Acosta), Parque Nacional Tapantí, Cordillera de Talamanca; 1.100-1.900 m.

Distribución mundial: De México a Panamá.

Inflorescence: Compound.
    Scape: Erect, up to 25 cm.
    Bracts: Green, 3-4 mm.
    Petals: White.

Blooming: From June to August.

Habit: Epiphytic or terrestrial.

Height: 16-29 cm.

Leaves: Ligulate laminae, 22-40 x 2-4.9 cm, green.

Habitat: High rain forests.

Distribution in the country: Cordillera de Tilarán, Cordillera Central, Cerros de Escazú, El Tablazo and La Carpintera, Cerros de Caraigres, Fila Aguabuena (Acosta), Parque Nacional Tapantí, Cordillera de Talamanca; 1,100-1,900 m.

Distribution in the world: From Mexico to Panama.

Anita W. Cooper
©1996 AR

Catopsis juncifolia

Catopsis juncifolia

Inflorescencia: Compuesta.
    Escapo: Erecto, 8-16 cm.
    Brácteas: Verdes a canela marrón, 2,5-3 mm.
    Pétalos: Blancos.

Floración: De marzo a abril.

Hábito: Epífita.

Altura: 13-25 cm.

Hojas: Láminas linear-lanceoladas, 6,5-14 x 0,2-0,5 cm, verde grisáceo.

Hábitat: Bosques muy húmedos.

Distribución en el país: Llanuras de San Carlos, Vertiente Atlántica (incluyendo las faldas de la cordillera); 50-900 m.

Distribución mundial: Guatemala, de Belice a Panamá.

Inflorescence: Compound.
    Scape: Erect, 8-16 cm.
    Bracts: Green to brown cinnamon, 2.5-3 mm.
    Petals: White.

Blooming: From March to April.

Habit: Epiphytic.

Height: 13-25 cm.

Leaves: Linear-lanceolate laminae, 6.5-14 x 0.2-0.5 cm, grayish green.

Habitat: Rain forests.

Distribution in the country: Llanuras de San Carlos, Atlantic slope; 50-900 m.

Distribution in the world: Guatemala, from Belize to Panama.

Anita W. Cooper
©1996 CR.

Aechmea bracteata

Aechmea bracteata

Inflorescencia: Compuesta.
    Escapo: Erecto, 54-150 cm.
    Brácteas: Rojizas.
    Pétalos: Amarillos a lila.

Floración: De marzo a mayo.

Hábito: Epífita.

Altura: 90-170 cm.

Hojas: Láminas liguladas, 60-112,5 x 5-14,5 cm, verdes a verde grisáceo, con el borde espinoso-dentado.

Hábitat: Bosques muy húmedos.

Distribución en el país: Faldas de la Cordillera de Guanacaste (Vertiente Atlántica), Península de Osa; 1-100 m.

Distribución mundial: De México a Colombia y Venezuela.

Inflorescence: Compound.
    Scape: Erect, 54-150 cm.
    Bracts: Reddish.
    Petals: Yellow to lilac.

Blooming: From March to May.

Habit: Epiphytic.

Height: 90-170 cm.

Leaves: Ligulate laminae, 60-112.5 x 5-14.5 cm, green to grayish green, with a spiny, toothed edge.

Habitat: Rain forests.

Distribution in the country: Cordillera de Guanacaste (Atlantic slope), Península de Osa; 1-100 m.

Distribution in the world: From Mexico to Colombia and Venezuela.

Inflorescencia: Compuesta.
Escapo: Erecto, 30-53 cm.
Brácteas: Blanco crema, 2-5 mm.
Pétalos: Rojizos a lila.

Floración: De diciembre a marzo.

Hábito: Epífita.

Altura: 1-1,5 m.

Hojas: Láminas liguladas, 57-140 x 5,5-10 cm, serradas, algunas veces blancuzcas por el envés.

Hábitat: Bosques muy húmedos.

Distribución en el país: Cordillera de Tilarán, Cerros de Escazú, Valle del Reventazón, Cordillera de Talamanca, fajas costeñas de Acosta y Quepos, Valle del General; 300-1.700 m.

Distribución mundial: De México a Ecuador.

Inflorescence: Compound.
Scape: Erect, 30-53 cm.
Bracts: Creamy white, 2-5 mm.
Petals: Reddish to lilac.

Blooming: From December to March.

Habit: Epiphytic.

Height: 1-1.5 m.

Leaves: Ligulate laminae, 57-140 x 5.5-10 cm, serrate, sometimes whitish on the back.

Habitat: Rain forests.

Distribution in the country: Cordillera de Tilarán, Cerros de Escazú, Valle del Reventazón, Cordillera de Talamanca, Acosta and Quepos coastal strips, Valle del General; 300-1,700 m.

Distribution in the world: From Mexico to Ecuador.

Anita W. Cooper
©1996 CR

Inflorescencia: Compuesta.
    Escapo: Erecto, hasta 50 cm.
    Brácteas: Amarillo verdoso, 20-37 mm.
    Pétalos: No estudiados.

Floración: Enero y febrero.

Hábito: Epífita.

Altura: Hasta 2 m.

Hojas: Láminas triangulares, 62-105 x 3-6 cm, verde grisáceo.

Hábitat: Bosques muy húmedos.

Distribución en el país: Tapantí, El Muñeco de Cartago, Cordillera de Talamanca (cerca de San Vito de Coto Brus y alrededores); 1.100-1.350 m.

Distribución mundial: De Costa Rica a Panamá.

Inflorescence: Compound.
    Scape: Erect, up to 50 cm.
    Bracts: Greenish yellow, 20-37 mm.
    Petals: Not researched.

Blooming: January and February.

Habit: Epiphytic.

Height: Up to 2 m.

Leaves: Triangular laminae, 62-105 x 3-6 cm, grayish green.

Habitat: Rain forests.

Distribution in the country: Tapantí, El Muñeco de Cartago, Cordillera de Talamanca (near San Vito de Coto Brus and surroundings); 1,100-1,350 m.

Distribution in the world: From Costa Rica to Panama.

Inflorescencia: Compuesta.
    Escapo: Erecto, 60-100 cm.
    Brácteas: Verdes, 36-40 mm.
    Pétalos: Verde crema.

Floración: De abril a junio.

Hábito: Epífita o terrestre.

Altura: 1,5-2 cm.

Hojas: Láminas liguladas, 91-100 x 9-10 cm, verdes.

Hábitat: Bosques muy húmedos.

Distribución en el país: Reserva Forestal de San Ramón de Alajuela; 800-1.000 m.

Distribución mundial: Especie endémica.

Inflorescence: Compound.
    Scape: Erect, 60-100 cm.
    Bracts: Green, 36-40 mm.
    Petals: Creamy green.

Blooming: From April to June.

Habit: Epiphytic or terrestrial.

Height: 1.5-2 cm.

Leaves: Ligulate laminae, 91-100 x 9-10 cm, green.

Habitat: Rain forests.

Distribution in the country: Reserva Forestal de San Ramón de Alajuela; 800-1,000 m.

Distribution in the world: Endemic.

Racinaea rothschuhiana

Racionaea rothschuhiana

Inflorescencia: Simple a digitada, aglomerada.
> *Escapo*: Erecto, 33,5-45 cm.
> *Brácteas*: Verdes, 0,6-1(1,7) cm.
> *Pétalos*: Amarillos.

Floración: De diciembre a febrero.

Hábito: Epífita.

Altura: 20-30 cm.

Hojas: Láminas liguladas, 24-47(61,5) x 2,2-5,3 cm, verdes y algunas veces moradas.

Hábitat: Bosques muy húmedos, áreas alteradas, árboles en pastizales.

Distribución en el país: Cordillera de Tilarán, Paraíso, Valle del Reventazón (Pejibaye); 700-1.200 m.

Distribución mundial: De México a Costa Rica.

Nota: Es una especie muy rara, que se conoce por lo menos de ocho colecciones; sin embargo, es común en algunas áreas de Cartago.

Inflorescence: Simple to digitate, agglomerate.
> *Scape*: Erect, 33.5-45 cm.
> *Bracts*: Green, 0.6-1(1.7) cm.
> *Petals*: Yellow.

Blooming: From December to February.

Habit: Epiphytic.

Height: 20-30 cm.

Leaves: Ligulate laminae, 24-47(61.5) x 2.2-5.3 cm, green and sometimes purple.

Habitat: Rain forests, altered areas, trees in pastures.

Distribution in the country: Cordillera de Tilarán, Paraíso, Valle del Reventazón (Pejibaye); 700-1,200 m.

Distribution in the world: From Mexico to Costa Rica.

Note: It is a very rare species, known in the country by less than 8 collections, though common in some areas of Cartago.

Anita W. Cooper
©1996 CR

Inflorescencia: Compuesta.
Escapo: Erecto, 45-70 cm.
Brácteas: Florales, verdes en floración, luego canela marrón, 22-27 mm.
Pétalos: Verde crema.

Floración: De marzo a mayo.

Hábito: Epífita.

Altura: 100-130 cm.

Hojas: Láminas liguladas, 25-28 x 6-10 cm, verdes.

Hábitat: Bosques muy húmedos.

Distribución en el país: Cordillera de Talamanca, cerca de la Carretera Interamericana (El Empalme, La Chonta), Depresión de la La Palma entre el Volcán Irazú y el Volcán Barva; 1.500-2.100 m.

Distribución mundial: Especie endémica.

Nota: Esta especie fue conocida durante más de 100 años sólo de la localidad original (Alto de la Palma entre el Volcán Irazú y el Volcán Barva) y por unas cuantas colecciones. Sin embargo, recientemente se localizaron poblaciones importantes en el área de la Cordillera de Talamanca.

Inflorescence: Compound.
Scape: Erect, 45-70 cm.
Bracts: Florals, green at flowering, then brown cinnamon, 22-27 mm.
Petals: Creamy green

Blooming: From March to May.

Habit: Epiphytic.

Height: 100-130 cm.

Leaves: Ligulate laminae, 25-28 x 6-10 cm, green.

Habitat: Rain forests.

Distribution in the country: Cordillera de Talamanca, near the Interamerican Highway (El Empalme, La Chonta), Depresión de La Palma between Volcán Irazú and Volcán Barva; 1,500-2,100 m.

Distribution in the world: Endemic.

Note: This species was known over 100 years only by the original location (Alto de la Palma between Volcán Irazú and Volcán Barva) and by just a few collections. Nevertheless, some important collections have been recently found in the Cordillera de Talamanca area.

Anita W. Cooper
©1996 CR

Inflorescencia: Compuesta.
    Escapo: Erecto, 45-65 cm.
    Brácteas: Florales, verdes a verde crema.
    Pétalos: Blancos.

Floración: De marzo a abril.

Hábito: Epífita.

Altura: 60-90 cm.

Hojas: Láminas liguladas, 55-81 x 2,7-4,5 cm, verdes.

Hábitat: Bosques muy húmedos.

Distribución en el país: Cordillera Central, Cordillera de Talamanca (Valle de la Estrella), Cerros del Tablazo; 1.300-1.500 m.

Distribución mundial: Costa Rica y Colombia.

Inflorescence: Compound.
    Scape: Erect, 45-65 cm.
    Bracts: Florals, green to creamy green.
    Petals: White.

Blooming: From March to April.

Habit: Epiphytic.

Height: 60-90 cm.

Leaves: Ligulate laminae, 55-81 x 2.7-4.5 cm, green.

Habitat: Rain forests.

Distribution in the country: Cordillera Central, Cordillera de Talamanca, (Valle de la Estrella), Cerros del Tablazo; 1,300-1,500 m.

Distribution in the world: Costa Rica and Colombia.

Anita W. Cooper
©1996 CR

Vriesea triflora

Vriesea triflora

Inflorescencia: Compuesta.
    Escapo: Erecto, 29-45 cm.
    Brácteas: Verde morado en floración, luego verde canela, 9-11 mm.
    Pétalos: Crema a crema morado.

Floración: De abril a junio.

Hábito: Epífita o terrestre.

Altura: 55-75 cm.

Hojas: Láminas liguladas, 23-34 x 3-5,2 cm, verdes, con líneas moradas a rojo oscuro, transversales y ondulantes.

Hábitat: Bosques muy húmedos.

Distribución en el país: Cordillera de Talamanca (Parque Nacional Tapantí, Río Macho); 1.200-1.900 m.

Distribución mundial: Especie endémica.

Inflorescence: Compound.
    Scape: Erect, 29-45 cm.
    Bracts: Green-purple at flowering, then cinnamon green, 9-11 mm.
    Petals: Cream to purple cream.

Blooming: From April to June.

Habit: Epiphytic or terrestrial.

Height: 55-75 cm.

Leaves: Ligulate laminae, 23-34 x 3-5.2 cm, green, with purple to dark red, transverse and undulate lines.

Habitat: Rain forests.

Distribution in the country: Cordillera de Talamanca (Parque Nacional Tapantí, Río Macho); 1,200-1,900 m.

Distribution in the world: Endemic.

Inflorescencia: Compuesta.
Escapo: Erecto, 35-65 cm.
Brácteas: Canela a verde canela, 20-34 mm.
Pétalos: Verde oscuro.

Floración: De noviembre a marzo.

Hábito: Epífita o terrestre.

Altura: 80-100 cm.

Hojas: Láminas liguladas, 46-85 x 6,5-9,5 cm, verdes.

Hábitat: Bosques muy húmedos.

Distribución en el país: Cordillera de Tilarán, Cordillera Central, Cerros de Escazú, Cerros de Caraigres, Cordillera de Talamanca y sus estribaciones; (1.500)1.800-2.300 m.

Distribución mundial: De México a Panamá.

Inflorescence: Compound.
Scape: Erect, 35-65 cm.
Bracts: Cinnamon to cinnamon green, 20-34 mm.
Petals: dark green.

Blooming: From November to March.

Habit: Epiphytic or terrestrial.

Height: 80-100 cm.

Leaves: Ligulate laminae, 46-85 x 6.5-9.5 cm, green.

Habitat: Rain forests.

Distribution in the country: Cordillera de Tilarán, Cordillera Central, Cerros de Escazú, Cerros de Caraigres, Cordillera de Talamanca and its spurs; (1,500)1,800-2,300 m.

Distribution in the world: From Mexico to Panama.

Tillandsia utriculata

Tillandsia utriculata

Inflorescencia: Ramificada.
  Escapo: Erecto, hasta 60 cm.
  Brácteas: Verde claro, 1,1-1,9 cm.
  Pétalos: Verdes a verde crema.

Floración: De abril a agosto.

Hábito: Epífita.

Altura: 100-200 cm.

Hojas: Láminas triangulares, 38,5-107 x 2,2-6,8 cm, verdes.

Hábitat: Bosques húmedos, áreas alteradas, árboles en potreros.

Distribución en el país: Zona norte y Atlántica, Turrialba; 0-850 m.

Distribución mundial: De Florida a México, de Belice a Costa Rica, Venezuela, las Antillas.

Nota: Después de la floración generalmente la planta muere. A pesar de las escasas colecciones de esta especie, es común en los sitios donde se encuentra.

Inflorescence: Branched.
  Scape: Erect, up to 60 cm.
  Bracts: Light green, 1.1-1.9 cm.
  Petals: Green to creamy green.

Blooming: From April to August.

Habit: Epiphytic.

Height: 100-200 cm.

Leaves: Triangular laminae, 38.5-107 x 2.2-6.8 cm, green.

Habitat: Rain forests, altered areas, trees in grasslands.

Distribution in the country: Northern part of the country, Atlantic slope, Turrialba; 0-850 m.

Distribution in the world: From Florida to Mexico, Belize to Costa Rica, Venezuela, the West Indies.

Note: The plant usually dies after blooming. Despite the scarce collections of this species, it is common in the places where it is found.

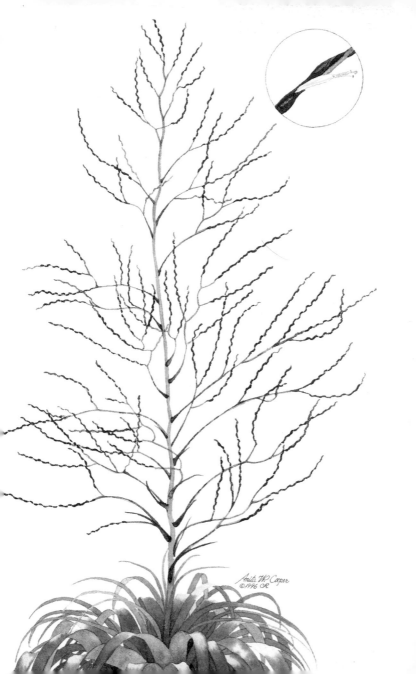

Inflorescencia: Ramificada.
   Escapo: Erecto, 65-110 cm.
   Brácteas: Primarias verdes hacia la punta, el resto marrón; florales verdes, 2,2-2,9 cm.
   Pétalos: Verde crema.

Floración: De setiembre a diciembre.

Hábito: Epífita, rara vez terrestre.

Altura: 1,5-2 m.

Hojas: Láminas liguladas, (68)75-110 x 9-12 cm, variegadas de manera irregular con verde oscuro.

Hábitat: Bosques muy húmedos.

Distribución en el país: Volcán Arenal, sector Atlántico de la Cordillera de Tilarán, Limón (Barra del Colorado), Turrialba (Tres Equis); 10-1.300 m.

Distribución mundial: De Costa Rica a Panamá.

Inflorescence: Branched.
   Scape: Erect, 65-110 cm.
   Bracts: Primary, green towards the tip (the rest is brown); florals, green, 2.2-2.9 cm.
   Petals: Creamy green.

Blooming: From September to December.

Habit: Epiphytic, rarely terrestrial.

Height: 1.5-2 m.

Leaves: Ligulate laminae, (68)75-110 x 9-12 cm, irregularly variegated with dark green.

Habitat: Rain forests.

Distribution in the country: Volcán Arenal, Atlantic sector of the Cordillera de Tilarán, Limón (Barra del Colorado), Turrialba (Tres Equis); 10-1,300 m.

Distribution in the world: From Costa Rica to Panama.

Anita W. Cooper
©1996 CR

Pitcairnia valerii

Pitcairnia valerii

Inflorescencia: Compuesta.
Escapo: Erecto, 42-105 cm.
Brácteas: Rojizas, verde rojizo a verdes, 1-4 mm.
Pétalos: Rojos.

Floración: De febrero a mayo.

Hábito: Terrestre.

Altura: 1-2,2 m.

Hojas: Láminas lineales, 85-163 x 2,5-7 cm, verdes.

Hábitat: Bosques muy húmedos.

Distribución en el país: Cordillera de Tilarán, San Ramón de Alajuela, Sarapiquí, Vertiente Atlántica, Parque Nacional Braulio Carrillo; 400-1.100 m.

Distribución mundial: De Costa Rica a Panamá.

Inflorescence: Compound.
Scape: Erect, 42-105 cm.
Bracts: Reddish, reddish green to green, 1-4 mm.
Petals: Red.

Blooming: From February to May.

Habit: Terrestrial.

Height: 1-2.2 m.

Leaves: Lineal laminae, 85-163 x 2.5-7 cm, green.

Habitat: Rain forests.

Distribution in the country: Cordillera de Tilarán, San Ramón de Alajuela, Sarapiquí, Atlantic slope, Parque Nacional Braulio Carrillo; 400-1,100 m.

Distribution in the world: Costa Rica and Panama.

Anita H. Cooper
© 1990 CR

Hecho en Costa Rica
por la Editorial INBio
Tel. (506) 244-0690, ext. 802 / Fax: (506) 244-2816
E-mail: editorial@inbio.ac.cr
website: www.inbio.ac.cr/editorial